LA TRADITION APOSTOLIQUE

SOURCES CHRÉTIENNES

Fondateurs : H. de Lubac, s. j., et J. Daniélou, s. j.
Directeur : C. Mondésert, s. j.

N° 11 bis

HIPPOLYTE DE ROME

LA TRADITION APOSTOLIQUE

D'APRÈS LES ANCIENNES VERSIONS

INTRODUCTION, TRADUCTION ET NOTES

PAR

Bernard BOTTE, O. S. B.

MOINE DU MONT CÉSAR

2e ÉDITION REVUE

LES ÉDITIONS DU CERF, 29, BD DE LATOUR-MAUBOURG, PARIS

1984

IMPRIMI POTEST :

Louvain, 7 mars 1968
fr. BAUDOUIN DE BIE
o. s. b.

NIHIL OBSTAT :

Francheville, 25 avril 1968
JEAN MORIN
cens. del.

IMPRIMATUR :

Lyon, 1ᵉʳ mai 1968
JOSEPH BASSEVILLE
vic. ep.

Imprimé en France

© *Les Éditions du Cerf,* 1984
ISBN 978-2-204-02282-8
ISSN 0750-1978

PRÉFACE

Il y a une vingtaine d'années j'ai publié une traduction de la *Tradition apostolique* dans la collection alors naissante des *Sources Chrétiennes*. Cette traduction est depuis longtemps épuisée et beaucoup en souhaitaient la réédition. Cependant il n'était pas possible de réimprimer tel quel un texte qui avait répondu à un besoin immédiat du mouvement liturgique, mais qui était, du point de vue critique, très imparfait.

Pendant la Deuxième Guerre mondiale, en effet, le mouvement liturgique avait pris en France un nouvel essor. Les Directeurs des *Sources Chrétiennes*, alors encore en projet, comprirent qu'un des ouvrages les plus nécessaires à ce moment était la *Tradition apostolique* dont il n'existait aucune traduction française. Dès la libération de la Belgique on me demanda de me charger d'une édition de ce texte, ce que j'acceptai volontiers, mais un peu imprudemment. Le moment n'était peut-être pas très bien choisi. La guerre n'était pas finie. Les V1 passaient encore au-dessus du Mont César en direction d'Anvers, et j'eus quelque difficulté à extraire de la cave, où était entreposée la bibliothèque, trois ou quatre livres indispensables. La bibliothèque des Pères jésuites était aussi abritée dans les caves. Quant à celle de l'Université, elle n'existait pratiquement plus depuis 1940. Ce n'étaient pas des conditions idéales de travail. Je m'aperçus d'ailleurs bien vite qu'une édition critique demanderait encore des années. Le seul essai sérieux était l'édition anglaise de Gregory Dix [1] qui, malgré ses qualités, avait cependant des insuffisances. La principale était d'être basée non sur les textes originaux, mais sur des traductions anglaises des versions orientales. Pour faire œuvre utile, il fallait reprendre le travail à la base et commencer par la comparaison minutieuse de tous les documents dans leur langue originale. Même dans les meilleures conditions il aurait été impossible de faire ce travail en quelques mois. D'autre part on me pressait de donner une traduction dans le plus bref délai possible, étant donné l'importance du document pour le mouvement liturgique. Je me décidai donc à faire une édition manuelle provisoire, sans prétention scientifique, qui donnerait au moins une idée du document, tout en laissant pour l'avenir les nombreux problèmes critiques que pose le texte. Cette édition, quelles que soient ses lacunes, a rendu, je l'espère, les services qu'on en attendait.

Depuis lors je n'ai jamais cessé de m'occuper de la *Tradition apostolique* et j'ai publié un certain nombre d'études d'approche. Il m'a fallu plusieurs années pour y voir clair, et je ne me suis résolu à publier une édition critique [2] qu'après avoir examiné tous les documents dans leur langue originale et avoir résolu les problèmes critiques essentiels qui se posent. Quand le travail a été terminé, il m'a semblé difficile de le publier dans les *Sources Chrétiennes*. D'une part la disposition typographique du texte demandait un format trop grand et, d'autre part, le caractère trop technique de cette édition

---

1. G. Dix, *Apostolikè Paradosis. The Treatise on the Apostolic Tradition of St. Hippolytus of Rome*, Londres 1937.
2. *La Tradition apostolique de saint Hippolyte. Essai de reconstitution*, Munster 1963.

risquait de décevoir la majorité des lecteurs de la collection. A côté des spécialistes qui s'intéressent à ces problèmes, il y a un vaste public de prêtres, d'étudiants en théologie, de laïcs cultivés pour qui un apparat scientifique compliqué serait un poids mort, d'autant plus qu'une édition de ce genre est nécessairement plus coûteuse. J'ai donc publié mon édition critique dans une collection de caractère plus technique, en m'engageant à donner par la suite une édition manuelle qui atteindrait un plus vaste public. C'est cette édition que je présente ici. J'en ai éliminé ce qui était pure technique philologique et j'ai ajouté des notes pour guider le lecteur quand le texte est incertain ou obscur. J'espère répondre ainsi aux désirs et aux besoins des lecteurs de *Sources Chrétiennes* qui ont fait si bon accueil à ma première édition.

Abbaye du Mont César, Louvain.

B. Botte, O. S. B.

INTRODUCTION

I. LA DÉCOUVERTE
DE LA *TRADITION APOSTOLIQUE*

Ces dernières années ont été riches en découvertes sensationnelles, dans les sables d'Égypte ou dans les grottes de Qumrân. Des manuscrits enfouis depuis des siècles sont revenus subitement au jour. La découverte de la *Tradition apostolique* est d'un tout autre genre et elle a un caractère moins romantique. Les archéologues n'en ont découvert aucun manuscrit ; ce sont des savants travaillant en chambre qui l'ont retrouvée, non pas enfouie dans le sable, mais cachée dans une vaste compilation éditée depuis plusieurs années.

A la fin du siècle dernier, la *Tradition apostolique* n'était qu'un titre inscrit sur le socle d'une statue trouvée à Rome au XVIᵉ siècle. Le personnage représenté par la statue avait été identifié à un écrivain nommé Hippolyte, dont on ne savait d'ailleurs pas grand-chose, car l'histoire — ou la légende — connaissait plusieurs personnages de ce nom. Quant à l'ouvrage lui-même, on n'en avait jamais vu aucun manuscrit et on ignorait totalement ce qu'il pouvait être.

Ce nom d'Hippolyte figurait pourtant dans certains recueils canoniques. Ainsi il existait un *Épitomé* du VIIIᵉ livre des *Constitutions apostoliques* [1] qui portait dans un sous-titre : *Constitution par Hippolyte*. De même on avait édité en 1879 un recueil arabe intitulé : *Canons d'Hippolyte*. Mais ces deux recueils avaient des rapports avec d'autres écrits apocryphes : les *Constitutions apostoliques* attribuées à saint Clément de Rome, et le *Testament de Notre-Seigneur*, qui se réclamait

---

1. Pour ce recueil et les suivants, voir la bibliographie qui sera donnée dans le paragraphe consacré à l'établissement du texte, p. 18-20.

d'une origine encore plus vénérable, puisqu'il se présentait comme les recommandations du Seigneur lui-même après sa résurrection. Enfin à ces documents vint s'ajouter une petite collection canonique noyée dans une vaste compilation en usage dans le patriarcat d'Alexandrie. Quand on avait retiré de cette compilation les textes dont on connaissait l'origine (*Canons apostoliques et* VIIIe *livre des Constitutions apostoliques*), il restait un certain nombre de canons inconnus par ailleurs. Comme ces canons figuraient dans le recueil canonique d'Alexandrie, on leur donna le titre de *Constitution de l'Église égyptienne*. Chose curieuse, ces canons traitaient les mêmes sujets que les autres documents.

Entre ces divers ouvrages, il y avait évidemment une dépendance directe ou indirecte. Ou bien ils dérivaient tous d'un même recueil perdu, ou bien il y avait entre ces écrits un ordre de dépendance. Dans le premier cas, tout ce qu'on pouvait faire, c'était de reconstituer le recueil primitif par comparaison des divers descendants. Dans le second cas, il fallait trouver quel était l'ordre de dépendance. Ici les opinions variaient singulièrement et on ne peut échapper à l'impression d'un manque d'objectivité. Ceux qui avaient peiné pour publier les textes manifestaient une tendresse exagérée pour le recueil qu'ils avaient édité. On ne comprend pas autrement qu'un savant aussi authentique que F. X. Funk ait maintenu contre toute évidence que tout dérivait des *Constitutions apostoliques*, tandis que Mgr Rahmani soutenait la priorité du *Testament de Notre-Seigneur*.

Bien que toutes les données du problème fussent connues depuis longtemps, il fallut attendre les premières années du xxe siècle pour arriver à trouver la solution vraiment scientifique, basée non plus sur des impressions ou des à-peu-près, mais sur une critique serrée des textes. Elle fut trouvée, à quelques années de distance, par deux savants qui travaillaient indépendamment l'un de l'autre : un savant allemand, E. Schwartz [1] et un bénédictin anglais, R. H. Connolly [2]. La

---

1. E. SCHWARTZ, *Über die pseudoapostolischen Kirchenordnungen*, Strasbourg 1910.
2. R.-H. CONNOLLY, *The So-Called Egyptian Church Order and Derived Documents*, Cambridge 1916.

comparaison minutieuse de tous les documents les avait amenés aux mêmes conclusions.

La première, admise aujourd'hui par tous les critiques sans hésitation, c'est que l'écrit dont dérivent tous les autres est la prétendue *Constitution de l'Église égyptienne*. On se demande aujourd'hui comment on a pu jadis en douter et comment on a pu faire dériver ce recueil d'un écrit de la fin du ive siècle.

La seconde conclusion, c'est que cette prétendue *Constitution de l'Église égyptienne* n'est autre chose que la *Tradition apostolique* que l'on croyait perdue. Cette identification repose sur deux faits. Le premier, c'est que, sur le socle de la statue romaine, le titre *Tradition apostolique* est précédé d'un autre : *Des charismes*. Or la préface de ces canons révèle précisément que l'auteur a précédemment traité des charismes et qu'il va maintenant parler de la tradition apostolique. Le second fait, c'est que deux des remaniements, les *Canons d'Hippolyte* et l'*Épitomé* des *Constitutions apostoliques*, font mention du nom d'Hippolyte.

Cette deuxième conclusion a reçu un accueil plus réservé ; mais les objections que l'on a faites n'ont pas empêché la majorité des critiques de se rallier à la thèse de Schwartz et Connolly.

II. QUI ÉTAIT HIPPOLYTE ?

On avait donc retrouvé le recueil canonique qui avait inspiré une série de remaniements et avait exercé par là une énorme influence sur les institutions de l'Église. Mais qui était son auteur ? Dans quel milieu et dans quelles circonstances avait-il composé son recueil ?

Le fait que sa statue a été retrouvée à Rome suppose évidemment qu'il a tenu une place dans l'Église romaine. Cependant les historiens sont extraordinairement discrets à son égard. On le cite comme écrivain, mais sans dire où il a vécu. Certains en font un évêque, mais sans désigner le siège qu'il a occupé. Celui de Rome est exclu, puisque nous avons la liste des évêques et qu'il n'y figure pas. Comment expliquer alors qu'il soit représenté assis dans une chaire ? La réponse a été donnée par la découverte du texte complet d'une œuvre dont on ne connaissait que la première partie et qui avait été attribuée à Origène sous le titre de *Philosophumena*. Or les livres suivants révélaient que l'auteur était un prêtre romain qui avait eu des démêlés avec le pape Zéphyrin et qui, à la mort de celui-ci en 217, s'était opposé à son successeur Callixte. D'autre part, il y avait dans la liste des martyrs romains un Hippolyte honoré le 13 août. Le pape Damase lui a consacré une inscription, ce qui montre que son culte était officiel, et cependant Damase y rappelle qu'il fut schismatique. Il en fait, il est vrai, un novatien, ce qui est sûrement erroné, ce schisme n'ayant commencé qu'en 251, tandis que la déposition d'Hippolyte eut lieu en même temps que celle du pape Pontien, deuxième successeur de Callixte (231-235). Dès lors la solution s'impose ; la déposition simultanée d'Hippolyte et de Pontien n'est pas un hasard. Tous deux, chefs de communautés rivales, ont été exilés. Le retour de leurs restes à Rome marque la fin du schisme. Pontien est inhumé au cimetière des papes, le cimetière de Callixte, tandis qu'Hippolyte l'est à la via Tibertina, comme simple prêtre. S'étaient-ils réconciliés en exil ? Nous ne le savons pas positivement. Ce qui est certain, c'est que tous deux sont honorés également à Rome, bien que le souvenir du schisme d'Hippolyte soit resté vivant jusqu'au temps de Damase. De toute manière, l'admission d'un schismatique parmi les martyrs romains ne pouvait que marquer la fin du schisme.

La question en était là quand, en 1947, M. P. Nautin [1] vint contester ces conclusions. Examinant les divers écrits attribués à Hipployte, M. Nautin prétendit qu'on avait confondu dans un même héritage littéraire les écrits de deux auteurs différents : Hippolyte, dont on ignorait la patrie, et Josipe (ou Josèphe), qui était l'antipape dont la statue se trouve à Rome. Le point de départ de cette opinion est que des extraits des œuvres attribuées à Hippolyte figurent dans les lemmes de certains florilèges sous le nom de Josipe.

Discuter ici ce problème nous mènerait trop loin. Je ferai seulement remarquer que le titre *Tradition apostolique* figure bien sur le socle de la statue romaine, précédé de « *Des charismes* ». Dès lors il faut bien admettre que le personnage représenté par la statue a composé deux traités qui portent ce titre. Mais qu'un autre auteur ait eu la même idée me paraît purement fantastique. C'est évidemment une possibilité métaphysique, mais cela ne satisfait pas l'historien, d'autant moins que ces deux titres sont uniques dans toute la littérature chrétienne. Il me paraît impossible d'attribuer le traité que nous possédons à un Hippolyte inconnu et de supposer que Josipe, de son côté, avait composé deux traités semblables. Ce qui est certain en tout cas, c'est que le traité retrouvé par Schwartz et Connolly est bien celui qui a inspiré les remaniements et qu'il est le plus ancien règlement ecclésiastique connu.

Une autre question qu'on a posée est celle de la patrie d'origine d'Hippolyte. Le P. J.-M. Hanssens [2] admet qu'il fut prêtre de l'Église romaine, mais il prétend qu'il est d'origine égyptienne et que ce qu'il propose comme tradition apostolique est en fait la tradition alexandrine. Malgré la remarquable érudition de l'auteur, sa démonstration est loin d'être convaincante. Tout ce qu'on peut en tirer, c'est que certaines

1. P. NAUTIN, *Hippolyte et Josipe*, Paris 1947.
2. J. M. HANSSENS, *La liturgie d'Hippolyte*, Rome 1959.

prescriptions pourraient tout aussi bien s'expliquer à Alexandrie, d'autant plus que nous ne savons à peu près rien de la tradition alexandrine à cette époque. Des écrivains tels que Clément d'Alexandrie ou Origène sont très avares de données sur ce point. On peut imaginer, par exemple, qu'il y avait aussi à Alexandrie une double onction après le baptême, l'une faite par le prêtre, l'autre par l'évêque. Mais d'après toute la documentation que nous possédons, et elle est très considérable, c'est une particularité de l'Église romaine dont on ne trouve aucune trace, pas plus en Égypte qu'ailleurs, sinon dans les documents qui dépendent de la *Tradition apostolique*. Quant à s'appuyer sur la présence d'une épiclèse dans l'anaphore d'Hippolyte, c'est commettre un paralogisme. La *Tradition apostolique* a circulé partout en Orient, aussi bien en Syrie qu'en Égypte. L'épiclèse d'Hippolyte est la plus simple de toutes et la plus primitive. La question qui se pose est de savoir si cette épiclèse n'est pas le point de départ des épiclèses orientales. Il y a d'autant moins de raison de soupçonner là une influence égyptienne que, très probablement, l'épiclèse la plus ancienne en Égypte précédait le récit de l'institution. Supposons même qu'Hippolyte se soit inspiré d'un usage oriental, cela ne prouverait encore rien pour son origine.

Il faut d'ailleurs ici éviter un anachronisme. C'en est un de considérer que l'anaphore d'Hippolyte représente le canon romain du iiie siècle au même titre que celui de saint Grégoire est celui du vie. Au iiie siècle, on en est encore à la période de libre composition, Hippolyte nous le dit lui-même. Les formules de la *Tradition apostolique* sont des textes composés à Rome au iiie siècle, mais ce ne sont pas des textes officiels immuables, ce sont des modèles. D'autre part, un règlement comporte toujours une part d'idéal qui ne répond pas nécessairement à la réalité. Il serait naïf de croire qu'Hippolyte se contente de codifier ce qui se fait et que, par exemple, tous les chrétiens de Rome se relevaient tous les jours à minuit pour prier. D'autre part, il faut remarquer qu'Hippolyte ne jouit pas de la liberté que prennent les auteurs d'apocryphes. Ceux-ci prétendaient s'appuyer sur Clément de Rome ou sur le Seigneur lui-même et ils avaient toute liberté d'inventer. Hippolyte écrit sous son nom, dans un milieu qui le connaît — la statue en témoigne — et sa part d'invention personnelle est nécessairement limitée. Il faut donc se garder d'exagérer dans un sens ou dans l'autre. Ce n'est pas une description de « la liturgie romaine » du IIIe siècle à l'état pur ; mais il est encore beaucoup moins vraisemblable qu'Hippolyte ait présenté une description qui n'avait aucun rapport avec la réalité vécue à Rome. Qu'il soit venu à Rome avec la liturgie alexandrine me paraît invraisemblable. Pour ma part, pour autant que j'aie étudié sa langue, il me semble être de souche romaine. Son grec sent parfois assez fort le latin. Cela ne donne aucune indication sur son lieu de naissance. Un authentique romain peut être né en Égypte, et je me garderai bien d'exagérer l'importance de cet indice. Mais les indices en sens contraire sont encore plus faibles, et je ne vois aucune raison pour laquelle un ouvrage composé à Rome serait d'importation égyptienne.

III. LE TEXTE
DE LA *TRADITION APOSTOLIQUE*

La Tradition apostolique a été écrite en grec ; mais le texte original, à part quelques passages, est perdu et on ne peut le reconstituer qu'au moyen de traductions et d'adaptations. De plus ces témoins ne sont parfois conservés que dans des versions orientales, et les langues de traduction (copte, syriaque, arabe, éthiopien) ont une structure très différente du grec. La version arabe n'est qu'une sous-traduction du copte, et c'est de l'arabe que dérive la version éthiopienne, ce qui augmente les risques de contresens. Quant aux adaptations, elles ont pris une grande liberté vis-à-vis de leur source. Y a-t-il moyen, avec des matériaux aussi disparates, d'arriver à des résultats satisfaisants ? Je le crois, à condition de suivre une méthode philologique rigoureuse, sans se laisser impressionner par les brillantes improvisations de certains amateurs. La critique textuelle est une technique qui ne s'accommode ni de la fantaisie ni de l'à-peu-près. Je ne puis entrer ici dans les détails que j'ai donnés dans mon édition critique. Il me paraît cependant utile de résumer l'essentiel pour éclairer le lecteur.

Les témoins dont nous disposons se divisent en deux classes qui ont une valeur inégale et dont il faut faire un usage différent : les traductions et les adaptations.

Les traductions sont la version latine (L), les versions coptes, sahidique (S) et bohairique (B), la version arabe (A) et l'éthiopienne (E).

La version latine (L) [1] est connue partiellement par un palimpseste conservé à la Bibliothèque capitulaire de Vérone. Au VIIIe siècle un copiste en mal de parchemin utilisa un certain nombre de feuilles d'un manuscrit plus ancien dont il avait gratté la première écriture. C'était un recueil canonique

1. E. HAULER, *Didascaliae apostolorum fragmenta Veronensia Latina. Accedunt Canonum qui dicuntur Apostolorum et Aegyptiorum reliquiae*, Leipzig 1900.

contenant trois ouvrages : la *Didascalie des apôtres*, les *Canons apostoliques* et la *Tradition apostolique*. Sur les 26 pages que devait compter ce dernier ouvrage, il en reste 14. Le manuscrit est à dater de la fin du ve siècle, mais la traduction elle-même est plus ancienne et remonte probablement à la fin du ive siècle.

Les versions orientales sont d'origine alexandrine et ne sont pas indépendantes l'une de l'autre.

A la base il y a une version en dialecte sahidique que nous ne connaissons que par un manuscrit (S) [1] et quelques fragments. Un passage assez long est omis. On peut y suppléer partiellement par une version en dialecte bohairique (B), très tardive et de valeur médiocre.

Du sahidique dérive la version arabe (A) [2]. Elle suit généralement le sahidique, mais elle est utile parce qu'elle a été faite sur un manuscrit différent et parfois meilleur que celui qui nous reste.

En dernier lieu vient la version éthiopienne (E) [3], faite sur l'arabe. Bien que ce soit une traduction à la troisième puissance, cette version est précieuse, parce que c'est le témoin le plus complet. On y a gardé, par exemple, les formules de prières disparues de SA. Nous pouvons donc remonter par là à la version sahidique primitive dont SA ne nous donnent qu'une idée imparfaite.

Tous les autres documents sont des adaptations libres qui n'ont pas la même valeur que les versions proprement dites.

En premier lieu viennent les *Constitutions apostoliques* (C) [4], vaste compilation grecque en huit livres, dont le VIIIe est un remaniement de la *Tradition apostolique*. Nous connaissons la méthode de l'auteur d'après les autres sources qu'il a utilisées, les *Canons apostoliques*, la *Didascalie*, la *Didachè*. Il

1. W. Till et J. Leipoldt, *Der koptische Text der Kirchenordnung Hippolyts*, Berlin 1954.

2. J. et A. Périer, *Les 127 Canons des apôtres*, « Patrologie orientale », VIII, 4, Paris 1912.

3. H. Duensing, *Der aethiopische Text der Kirchenordnung des Hippolyt*, Göttingen 1946.

4. F. X. Funk, *Didascalia et Constitutiones Apostolorum*, Paderborn, t. I, 1905.

remanie profondément les textes de ses sources et il y introduit de larges interpolations.

Des *Constitutions* il faut rapprocher l'*Épitomé* (Ép) [1] du VIIIe livre, appelé aussi *Constitution par Hippolyte*. A première vue ce n'est qu'une série d'extraits des *Constitutions apostoliques* sans originalité. Cependant pour certains chapitres il s'en écarte et il se rapproche de la *Tradition apostolique*. Ainsi pour le sacre épiscopal il donne la prière non d'après les *Constitutions*, mais d'après un texte grec très proche de L et de E. Il a donc parfois une valeur indépendante de C.

Le *Testament de Notre-Seigneur* (T) [2] est conservé dans une version syriaque. Des prescriptions analogues à celles de la *Tradition apostolique* sont mises dans la bouche de Notre-Seigneur lors d'une apparition aux apôtres en Galilée après sa résurrection. Le rédacteur interpole lui aussi largement le texte de la *Tradition apostolique* en le suivant cependant plus fidèlement que ne le fait l'auteur des *Constitutions apostoliques*.

Restent enfin les *Canons d'Hippolyte* (K) [3], recueil alexandrin datant probablement de la seconde moitié du IVe siècle, qui ne nous est parvenu que dans une traduction arabe. Le rédacteur traite également sa source avec grande liberté.

Quelle est la valeur respective de ces témoins ? Quel est notamment leur degré de proximité vis-à-vis de l'original ? Il serait vraiment inouï que l'un d'entre eux provienne de l'autographe de l'auteur. Les écrits anciens se sont transmis par copies successives. Elles subissent des changements involontaires dus à la négligence des copistes, mais parfois aussi des remaniements volontaires par des recenseurs qui veulent mettre le texte à jour. On peut même parfois parler de plusieurs éditions successives. N'y aurait-il pas eu, pour la *Tradition apostolique*, deux éditions, peut-être dues à l'auteur lui-même ? Dans ce cas il faudrait distinguer les témoins

1. F. X. Funk, *Didascalia et Constitutiones Apostolorum*, t. II, p, 72-96.

2. I. E. Rahmani, *Testamentum Domini nostri Iesu Christi*, Mayence 1899.

3. R.-G. Coquin, *Les Canons d'Hippolyte*, « Patrologie orientale », XXXI, 2, Paris 1966.

d'après l'édition qu'ils représentent. C'est une hypothèse séduisante que j'ai sérieusement étudiée. Le résultat de mes recherches est que c'est un mirage. S'il y a eu plusieurs éditions, nous n'en savons rien. Ce qui est certain, c'est que tous nos témoins nous ramènent à une seule et même édition. Bien plus, ils dépendent tous d'un seul et même archétype, c'est-à-dire d'un seul manuscrit grec : celui qu'a utilisé le compilateur de ce qu'on peut appeler la collection tripartite. J'ai dit plus haut que la version latine provenait d'une collection contenant trois recueils : la *Didascalie*, les *Canons apostoliques* et la *Tradition apostolique*. C'est du texte grec de cette collection que dépendent tous nos témoins sans exception. Tout ce qu'on peut faire, c'est reconstituer cet archétype ; mais chercher dans l'un ou l'autre témoin un texte plus pur ou plus ancien que cet archétype est du temps perdu.

Certains recenseurs se sont étonnés et inquiétés de cette conclusion. C'est qu'ils ne sont guère familiarisés avec le travail philologique, car il en est de même pour tous les écrivains de l'antiquité classique ou chrétienne. Souvent même l'archétype est beaucoup plus éloigné de l'original que celui de la *Tradition apostolique*. Comme plusieurs témoins de celle-ci remontent au IVe siècle, il n'y a guère plus d'un siècle ou d'un siècle et demi de distance par rapport à l'auteur. D'autre part nous pouvons constater que le compilateur de la collection respecte ses sources par la manière dont il a traité les *Canons apostoliques* dont nous avons l'original grec. Il n'y a aucune raison de croire qu'il n'a pas procédé de la même manière pour la *Tradition apostolique*. Quoi qu'il en soit, nous ne pouvons espérer retrouver le texte que par l'intermédiaire de cet archétype. S'il a des fautes, on ne pourra faire que ce qu'on fait pour tous les textes anciens : le corriger par conjecture. Encore faut-il être prudent en ce domaine et expliquer comment la faute a pu se produire. Les philologues modernes sont plus réservés que les anciens qui corrigeaient souvent d'une manière arbitraire.

Cependant avant de corriger le texte de l'archétype, il faut au préalable l'établir.

Deux problèmes différents se posent : la structure générale

du traité et les détails du texte. Pour les deux problèmes il faut évidemment donner la priorité aux versions sur les adaptations. Les versions peuvent être infidèles par accident, les adaptations le sont par principe : elles ajoutent, retranchent ou changent suivant le but que se propose l'auteur.

Pour le premier problème, la méthode est assez simple ; il faut prendre la version la plus complète et en garder tout ce qui est attesté, même imparfaitement, par d'autres témoins parallèles. En l'occurence, c'est la version éthiopienne, la version latine étant fragmentaire et SA ayant éliminé certains chapitres, notamment les formules de prières. Ainsi, par exemple, on doit considérer ces prières comme authentiques, puisqu'elles sont attestées par LE et également par CTK, bien que sous une forme remaniée. Ce qui n'a laissé aucun vestige dans les autres témoins doit être écarté et apparaît d'ailleurs toujours comme étranger au recueil. Ainsi E contient une série de prières qui représentent un ou plusieurs rituels du baptême différents de celui qui apparaît dans les autres témoins. Il est bien évident que le texte original ne contenait pas plusieurs rituels du baptême.

Quant au second problème, celui de l'établissement du texte dans ses détails, il faut procéder d'une manière rationnelle. Un apparat critique n'est pas une réserve où chacun va puiser à son gré la leçon qui lui plaît le mieux. La critique textuelle est une technique qui a ses règles. Tous les témoins n'ont pas la même valeur. Voici les règles que j'ai suivies :

1. Il faut donner la préférence aux versions sur les adaptations. Par conséquent, quand toutes les versions sont d'accord, il n'y a aucun problème. Les adaptations ne peuvent avoir raison contre cet accord, puisqu'elles dérivent aussi du même archétype.

2. Les versions LSAE ne sont pas quatre témoins indépendants ayant une valeur égale. En fait il n'y a que deux témoignages indépendants : celui de L et celui de la traduction sahidique primitive dont dérivent SAE. On ne peut donc pas faire jouer le principe majoritaire. L'accord de SAE contre L n'a pas de valeur décisive. Pour résoudre le problème, il faut recourir aux témoins secondaires. Si, par exemple, L est soutenu par T ou K, il faut lui donner la pré-

férence, puisque nous avons alors un témoignage indépendant.

3. Il arrive cependant que le désaccord entre L et le groupe alexandrin ne soit que partiel. Ainsi quand on a LE contre SA, l'accord entre L et E est décisif ; puisqu'il n'y a aucun contact direct entre ces deux témoins, l'accord ne s'explique que par le fait que E a gardé la leçon de la version sahidique primitive.

4. Quand L est déficient, le problème est plus délicat. Ni l'accord SA contre E ni celui de AE contre S n'ont de signification. Ici encore, les témoins secondaires peuvent rendre service : si une des deux leçons est soutenue par CTK, il faut lui donner la préférence. Sinon il faut juger d'après l'évidence interne ou donner la préférence au témoin qui est généralement le plus fidèle, en l'occurence S qui est une traduction directe.

On voit que les adaptations ont leur utilité : elles servent avant tout à départager les témoins directs quand il y a conflit entre eux. Mais il ne faut pas leur demander ce qu'ils ne peuvent donner. Ils ne peuvent garder un texte meilleur que celui de l'archétype qui a servi de base aux versions et dont ils dépendent eux-mêmes.

J'ajoute qu'il y a beaucoup moins de variantes réelles qu'on le croit. Il faut éliminer celles qui ne sont que des fautes de traduction. Elles ne manquent pas dans E. Nombre de leçons de ce témoin, qui paraissaient originales, sont de ce type. Il faut éliminer aussi les variantes qui sont dues à la structure même de la langue. Ainsi quand L a un verbe passif (*ordinatur*) et S un verbe actif (*ordinant* ou *episcopus ordinat*) il n'y a pas de variante réelle, parce que le copte n'a pas de conjugaison passive et qu'il est obligé de changer de tournure.

Telles sont les règles fondamentales que j'ai suivies pour reconstituer le texte ou du moins le contenu de l'archétype.

Ce texte est-il parfait ? Je ne le pense pas, et j'ai laissé des points d'interrogation à plus d'un endroit. Mais je me suis abstenu de corriger là où je n'avais pas de solution rationnelle. J'appelle une solution rationnelle une correction qui s'appuie sur des indices paléographiques. C'est ainsi que j'ai

proposé au ch. 34 une correction qui s'explique par le saut
du même au même (*typus-typus*). De même au début de 42,
la correction s'explique par la confusion entre εἰ et ἀεί. En
dehors de ces cas, je m'en suis tenu au texte de l'archétype.
Dans mon édition critique j'ai noté toutes les données utiles
pour la justification du texte. Dans cette édition manuelle je
me contenterai d'indiquer en note les passages douteux.

IV. LE CONTENU
DE LA *TRADITION APOSTOLIQUE*

Il est difficile de définir le genre littéraire de ce recueil. Il contient des prescriptions et des prières liturgiques, et cependant ce n'est pas un livre liturgique. Dire que c'est un recueil canonique n'est pas non plus tout à fait exact, et l'expression est légèrement anachronique. Les Allemands parlent de *Kirchenordnung*, les Anglais de *Church Order*, ce qu'on peut traduire par *Règlement ecclésiastique*. Peu importe d'ailleurs le nom et le genre littéraire. C'est un écrit original, qui n'est pas toujours bien ordonné ; mais l'auteur sait très bien ce qu'il veut : rappeler la discipline de l'Église et donner des directives non seulement à sa communauté, mais aussi aux chefs d'autres Églises. Telle qu'elle nous est parvenue, la *Tradition apostolique* est divisée en chapitres de longueur inégale, précédés de titres — irrémédiablement effacés dans le latin — qui ne remontent pas nécessairement à l'original. Il n'est cependant pas difficile de distinguer dans le livre trois parties principales dont les deux premières ont un contenu homogène : la constitution de l'Église, l'initiation chrétienne, les observances de l'Église.

1. La constitution de l'Église (1-14)

Si nous parcourons les titres de ces chapitres, nous constatons que les personnes dont il est question ont une place spéciale dans la communauté, à commencer par les membres de la hiérarchie : évêque, diacre, prêtre. Ceux-ci se distinguent de tous les autres par le fait qu'ils reçoivent, par l'imposition des mains, un don spécial de l'Esprit-Saint qui les consacre à leur charge. Vient ensuite le confesseur, c'est-à-dire celui qui a été victime de la persécution et a confessé sa foi devant les autorités civiles. Il a droit, par le fait même, à des honneurs spéciaux. D'autres sont investis d'une fonction, non plus par l'imposition des mains, mais par une simple nomination : la veuve pour la prière, le lecteur pour la proclamation de l'Écriture, le sous-diacre pour aider le diacre. Enfin il y a la vierge, qui s'engage dans cet état par une décision personnelle, et celui qui a reçu le don de guérison, charisme que l'on jugera d'après ses effets.

Toutes les prescriptions ont un caractère concret et pratique, mais elles sont inspirées par une solide doctrine, tout d'abord par une théologie de l'Église.

La première prescription, c'est que l'évêque doit être élu par tout le peuple. On croirait, à première vue, qu'on se trouve dans une communauté démocratique autonome qui vit repliée sur elle-même et se régit selon ses propres lois. Mais l'élection ne suffit pas à faire un évêque. Il faut l'imposition des mains d'autres évêques. La communauté locale est incapable de se suffire à elle-même. Elle peut présenter un candidat aux évêques présents ; mais c'est à ceux-ci qu'il appartient de l'agréger à leur ordre en lui communiquant, par l'imposition des mains, le don de l'Esprit qu'ils ont reçu eux-mêmes du Seigneur, par l'intermédiaire des apôtres. Le peuple et le presbyterium n'ont rien d'autre à faire qu'à prier en silence pour la descente de l'Esprit-Saint. Et la prière du sacre dira, avec une richesse et un bonheur qu'on ne retrouvera peut-être plus jamais, ce qu'est l'évêque pour l'Église.

L'Église est le nouveau peuple de Dieu et, en même temps, le nouveau Temple établi désormais en tout lieu. Or Dieu n'a jamais laissé son peuple sans chef ni son sanctuaire sans sacerdoce et on lui demande qu'il fasse de même pour le nouvel Israël. C'est l'évêque qui doit être à la fois le chef du nouveau peuple de Dieu et le grand-prêtre du nouveau Temple. Mais il doit être rendu apte à sa charge par un don de l'Esprit-Saint, don que les apôtres qui ont fondé l'Église avaient reçu du Seigneur, qui l'avait reçu lui-même de son Père. C'est en vertu de cet Esprit que le nouvel évêque devient le pasteur du troupeau du Christ, le chef du nouvel Israël, le grand-prêtre du nouveau Temple, le successeur des apôtres, en communion avec les autres évêques qui l'ont admis dans leur collège.

Dès qu'il est consacré, le nouvel évêque va exercer son sacerdoce en célébrant l'eucharistie avec le presbyterium. Le diacre apporte les dons et aussitôt l'évêque impose les mains avec les prêtres. En imitant le geste de l'évêque, les prêtres manifestent leur intention d'exercer leur sacerdoce. Car ils ont été ordonnés au sacerdoce et ils participent à l'Esprit qui a été donné à l'évêque comme les Anciens d'Israël participaient à l'esprit de Moïse. C'est le premier exemple de concélébration que nous connaissons.

Telle apparaît l'Église dès le début du traité : peuple de Dieu choisi pour lui rendre gloire, et c'est par la volonté de Dieu qu'il est organisé. La hiérarchie n'est pas un appareil administratif superposé artificiellement à une communauté religieuse. L'Église a été bâtie par les apôtres et elle ne peut subsister que par le don de l'Esprit qui se transmet de génération en génération.

Dans l'Église locale, c'est l'évêque, avec le prebyterium, dont les membres ont reçu le don de conseil, qui doit faire paître le saint troupeau, organiser la vie de l'Église, distribuer les charges. Il y a aussi le diacre, qui reçoit par l'imposition des mains l'esprit de grâce et de zèle. Il a pour fonction liturgique d'apporter à l'autel l'oblation de la communauté. Mais il est aussi le bras droit de l'évêque, notamment pour le soin des malades. Il y a d'autres personnes qui ont une fonction ou une place spéciale : veuve, lecteur, sous-diacre, guérisseur. Un seul pose un problème : le confesseur.

On est étonné de lire au chapitre 9 qu'il ne faut pas imposer les mains au confesseur pour la prêtrise, parce qu'il possède l'honneur de la prêtrise de par sa confession. Cela veut-il dire qu'il possède par là la qualité de prêtre et que sa confession tient lieu d'ordination sacerdotale ? Cela ne me paraît pas plausible, car il n'y a nulle part ailleurs de trace d'une telle discipline. Voici ce qui me semble plus probable.

Les confesseurs ont joui dans les premiers siècles d'une grande vénération, mais il est bien connu que certains en ont abusé et sont devenus des personnages encombrants. Ils ne se contentaient pas de donner des lettres de recommandation pour la réconciliation de ceux qui avaient failli dans la persécution, ils s'attribuaient le droit de les réconcilier. Dans la *Tradition apostolique* on remarque une certaine réserve à leur égard. Il semble qu'il y ait eu pléthore, et l'auteur distingue ceux qui ont rendu témoignage devant les autorités civiles et ceux qui n'ont subi que des vexations privées (sans doute des parents ou des maîtres). Ces derniers ne jouissent d'aucun privilège. Quant aux autres, dont on pouvait contrôler l'arrestation ou l'emprisonnement, ils ont droit à une place d'honneur dans la communauté. Mais il ne devait pas être commode pour un évêque d'avoir dans son presbyterium ces personnages un peu encombrants qui empiétaient parfois sur ses droits. Mieux valait leur faire comprendre que l'ordination ne serait pas pour eux une promotion, parce qu'ils avaient en tant que confesseurs une place d'honneur équivalente à celle de la prêtrise. Telle est l'interprétation qui me paraît expliquer le texte en tenant compte des circonstances. Mais il me semble peu probable que l'auteur, qui accorde tant d'importance au don de l'Esprit dans les ordinations, ait admis que le fait d'avoir été emprisonné pour la foi suffisait pour conférer ce don.

2. L'initiation chrétienne (15-21)

Cette deuxième partie est également très homogène et elle a pu constituer un écrit indépendant, car elle a sa conclusion propre. C'est un document unique dans la littérature chrétienne des premiers siècles. On trouve chez Tertullien des données éparses dans son œuvre, mais aucune vue d'ensemble. Plus tard les catéchèses baptismales contiendront le commentaire de la dernière étape de l'initiation. Mais aucun document ne nous montre toutes les étapes de cette initiation depuis la première présentation du candidat jusqu'à l'eucharistie baptismale.

Ces chapitres sont d'un réalisme qui nous fait pénétrer dans la vie de la communauté. On y voit tout d'abord le rôle des laïcs. C'est eux qui viennent présenter les candidats et qui se font leurs garants non seulement au début, mais aussi quand ils sont « choisis » pour le baptême. On prévoit même que la catéchèse peut être faite par un laïc sans que rien soit changé aux usages : il priera sur les catéchumènes et leur imposera les mains.

Le chapitre sur les métiers interdits (16) donne des précisions qui en disent long sur le milieu. L'Église est loin de pratiquer le *compelle intrare*. Il faut au contraire écarter ceux qui ne sont pas disposés à conformer leur conduite aux enseignements de l'évangile. Outre les métiers déshonnêtes ou les occupations infamantes, il y a tous ceux qui par quelque côté touchent au paganisme. C'est le cas de tout ce qui a un rapport avec le spectacle. Ce qui nous paraît aujourd'hui relever du sport ou de l'art était alors empreint de paganisme de par ses origines. Le sculpteur devait renoncer à faire des statues de dieux et le maître d'école ne pouvait continuer à enseigner les auteurs païens que s'il ne pouvait pas trouver d'autre métier. Pour le soldat un autre problème se posait : l'interdiction de verser le sang, tant pour le subalterne que pour l'officier ou le magistrat qui avait le droit de glaive.

Se convertir n'était pas un vain mot, et la renonciation à Satan, à sa pompe et à ses œuvres n'était pas une formule vide de sens : c'était la renonciation à des choses très concrètes qui faisaient partie de la vie courante de l'époque.

Une fois admis, le catéchumène devait suivre l'instruction pendant trois ans, en des séances qui comportaient aussi des prières et l'imposition des mains. Avant d'être reçu à la préparation immédiate du baptême, il devait être soumis à un nouvel examen et subir des exorcismes plus fréquents. L'empire de Satan est une réalité, parce que le paganisme est toujours vivant et qu'il imprègne toute la vie sociale. Il est probable que le développement des rites du catéchuménat répond à une expérience pastorale. L'époque est portée au syncrétisme, et l'Église n'a rien à gagner en formant des demi-chrétiens qui seront pour elle un poids mort sinon un danger.

Les rites d'initiation : baptême, don de l'Esprit, eucharistie sont décrits en détail au chapitre 21 et il est superflu de les résumer ici. Notons que ce rituel est le plus complet de tous ceux que nous connaissons. L'Afrique connaissait l'onction postbaptismale seule, tandis que la Syrie ne connaissait à l'origine que celle qui précède le baptême. La *Tradition apostolique* connaît les deux onctions, et même la seconde est dédoublée : commencée par le prêtre, elle est achevée par l'évêque qui oint la tête du candidat. L'initiation se clôt par l'eucharistie qui comporte ce jour-là des rites spéciaux de communion.

3. Les usages de la communauté (22-42)

Cette troisième partie n'a pas la même homogénéité que les deux premières, et il est impossible d'en donner un plan rationnel. Le texte en est aussi plus difficile à établir, là surtout où E est le seul témoin complet.

Notons seulement qu'un certain nombre de chapitres sont consacrés aux repas de communauté. Ce sont des repas de charité qui ont un caractère religieux, mais qui sont nettement distingués de l'eucharistie. Quant aux assemblées liturgiques, il semble qu'elles ne soient pas quotidiennes, du moins pour l'ensemble des fidèles. Le système supposé par le chapitre 39 semble être du type stationnal : prêtres et diacres doivent se réunir chaque jour au lieu fixé par l'évêque, mais au chapitre 41 on distingue les jours où il y a réunion et les jours où il n'y en a pas, ce qui suppose des lieux de culte différents qui ne sont pas toujours accessibles à l'ensemble de la communauté.

En dehors de ces réunions, on propose à tous les fidèles un programme de prières réparties sur toute la journée et sur la nuit. Dans quelle mesure ce programme répond-il à la réalité ? Il est difficile de le dire. Plus tard, ces heures de prière seront observées par les moines, puis par les clercs et deviendront la prière officielle de l'Église. Cette troisième partie se termine par la conclusion générale du traité. L'auteur y revient sur ce qu'il avait dit dans la préface et rappelle ce qu'il a voulu faire : remettre en honneur la tradition apostolique.

V. L'ÉDITION

La présente édition ne s'adresse pas aux spécialistes qui s'intéressent aux problèmes techniques que pose le texte, mais à un public plus vaste. Ceux qui désirent faire du travail scientifique devront se reporter à mon édition critique. J'ai donc éliminé ce qui a un caractère trop technique et n'intéresserait qu'un petit nombre de lecteurs.

On trouvera sur les pages paires les deux témoins principaux en colonnes parallèles quand ils sont indépendants l'un de l'autre. L'apparat est supprimé ; mais quand il y a des variantes importantes, elles seront signalées dans les notes de la traduction. Le texte original étant presque complètement disparu, c'est dans cette traduction que j'ai consigné le résultat de mon travail critique. Je n'ai pas la prétention d'avoir résolu tous les problèmes, mais j'espère cependant en avoir débrouillé un certain nombre. Surtout je crois avoir éliminé les faux problèmes : le mirage d'un texte meilleur conservé dans les témoins secondaires, des variantes qui paraissaient séduisantes et qui ne sont que des fautes de traduction ou des variantes de traduction. Je souhaite qu'on ne ressuscite pas ces fantômes.

BIBLIOGRAPHIE

I. SOURCES

R.-G. Coquin, *Les Canons d'Hippolyte*, Paris 1966 (« Patrologie orientale », XXXI, 2).

H. Duensing, *Der aethiopische Text der Kirchenordnung des Hippolyt, nach 8 Handschriften herausgegeben und übersetzt*, Göttingen 1946.

F. X. Funk, *Didascalia et Constitutiones apostolorum*, Paderborn 1905.

E. Hauler, *Didascaliae apostolorum fragmenta Veronensia Latina. Accedunt Canonum qui dicuntur Apostolorum et Aegyptiorum reliquiae*, Leipzig 1900.

G. Horner, *The Statutes of the Apostles or Canones Ecclesiastici*, Londres 1904.

P. de Lagarde, *Aegyptiaca*, Göttingen 1883.

J. et A. Périer, *Les 127 Canons des apôtres. Texte arabe en partie inédit publié et traduit d'après les manuscrits de Paris, de Rome et de Londres*, Paris 1912 (« Patrologie orientale », VIII, 4).

I. E. Rahmani, *Testamentum Domini nostri Iesu Christi nunc primum edidit, Latine reddidit et illustravit*, Mayence 1899.

H. Tattam, *The Apostolical Constitutions or Canons of the Apostles in Coptic with an English Translation*, Londres 1848.

W. Till et J. Leipoldt, *Der koptische Text der Kirchenordnung Hippolyts herausgegeben und übersetzt*, Berlin 1954.

II. ESSAIS
DE RECONSTITUTION ET ÉTUDES D'ENSEMBLE

H. Achelis, *Die ältesten Quellen des orientalischen Kirchenrechtes. I. Die Canones Hippolyti*, Leipzig 1891.

B. Botte, *La Tradition apostolique de saint Hippolyte. Essai de reconstitution*, Munster 1963.

R. H. Connolly, *The So-Called Egyptian Church Order and Derived Documents*, Cambridge 1916 (« Texts and Studies », VIII, 4).

G. Dix, Ἀποστολικὴ παράδοσις. *The Treatise on the Apostolic Tradition of St. Hippolytus of Rome, Bishop and Martyr*, Londres 1937.

B. S. Easton, *The Apostolic Tradition of Hippolytus Translated into English with Introduction and Notes*, Cambridge 1934.

H. Elfers, *Die Kirchenordnung Hippolyts von Rom*, Paderborn 1938.

J. M. Hanssens, *La liturgie d'Hippolyte*, Rome 1959.

R. Lorentz, *De egyptische Kerkordening en Hippolytus van Rome*, Haarlem 1929.

Th. Schermann, *Die allgemeine Kirchenordnung, frühchristliche Liturgien und kirchliche Überlieferung. I. Die allgemeine Kirchenordnung des zweiten Jahrhunderts*, Paderborn 1914.

E. Schwartz, *Über die pseudoapostolischen Kirchenordnungen* (« Schriften wissensch. Gesellschaft in Strassburg », 6) Strasbourg 1910.

III. ÉTUDES DE DÉTAIL

J. Blanc, « Lexique comparé des versions de la Tradition apostolique de saint Hippolyte », *Rech. théol. anc. médiév. 22* (1955), 173-192.

B. Botte, « L'épiclèse de l'anaphore d'Hippolyte », *ibid. 14* (1947), 241-251.

— « L'authenticité de la Tradition apostolique de saint Hippolyte », *ibid. 16* (1949), 177-185.

— « Note sur le symbole baptismal de saint Hippolyte », *Mélanges J. de Ghellinck*, t. I, Gembloux 1951, 189-200.

— « Le texte de la Tradition apostolique », *Rech. théol. anc. médiév.* 22 (1955), 161-172.

— « ΨΕΛΛΙΣΤΗΣ-ΨΑΛΙΣΤΗΣ », *Revue des études byzantines* 16 (1958), 162-165.

— « Un passage difficile de la " Tradition apostolique " sur le signe de croix », *Rech. théol. anc. médiév.* 27 (1960), 5-19.

— « Les plus anciennes collections canoniques », *Orient Syrien* 5 (1960), 331-350.

— « A propos de la Tradition apostolique », *Rech. théol. anc. médiév.* 33 (1966), p. 177-186.

B. CAPELLE, « L'introduction du catéchuménat à Rome », *Rech. théol. anc. médiév.* 5 (1933), 129-154.

O. CASEL, « Die Kirchenordnung Hippolyts von Rom », *Archiv für Liturgiewiss.* 2 (1952), 115-130.

R. H. CONNOLLY, « An ancient prayer in the mediaeval euchologia », *Journ. theol. studies* 19 (1918), 132-144.

— « The prologue of the Apostolic Tradition », *ibid.* 22. (1921), 356-361.

— « On the text of the baptismal creed of Hippolytus », *ibid.* 25 (1924), 131-139.

— « The eucharistic prayer of Hippolytus », *ibid.* 39 (1938), 350-369.

H. ENGBERDING, « Das angebliche Dokument römischer Liturgie aus dem Beginn des dritten Jahrhunderts », *Miscellanea liturgica in honorem L. C. Mohlberg*, t. I, Rome 1948, 47-71.

W. H. FRERE, « Early ordination services », *Journ. theol. studies* 16 (1915), 323-369.

E. HENNECKE, « Hippolyts " Schrift Apostolische " Überlieferung », *Harnack Ehrung*, Leipzig 1921, 159-162.

— « Der Prolog zur " Apostolischen Überlieferung " », *Zeitschr. neutest. Wissensch.* 22 (1923), 144-146.

J. A. JUNGMANN, « Beobachtungen zum Fortleben von Hippolyts " Apostolischer Überlieferung " », *Zeitschr. kathol. Theol.* 53 (1929), 579-585.

J. Lécuyer, « Épiscopat et presbytérat dans les écrits d'Hippolyte de Rome », *Rech. science relig.* *41* (1953), 30-50.

P. Nautin, *Je crois à l'Esprit-Saint dans la sainte Église pour la résurrection de la chair*, Paris 1947.

C. C. Richardson, « A note on the epiclesis in Hippolytus and the Testamentum Domini », *Rech. théol. anc. médiev.* *15* (1948), 357-359.

SIGLES EMPLOYÉS [1]

VERSIONS :

    L : version latine
    S : version sahidique
    A : version arabe
    E : version éthiopienne
    B : version bohairique (pour le chap. 21).

ADAPTATIONS :

    C   : Constitutions apostoliques VIII
    Ep. : Épitomé des Constitutions apostoliques
    T   : Testament de Notre-Seigneur
    K   : Canons d'Hippolyte.

  * Un astérisque dans le texte latin indique une faute de copiste.

---

1. Pour les éditions de ces divers témoins, voir Introduction, p. 18-20.

1. Prologus

L

Ea quidem quae uerba fuerunt digne posuimus de donationibus, quanta quidem d(eu)s a principio secundu(m) propriam uoluntatem praestitit hominibus, offerens sibi eam imaginem quae aberrauerat.

Nunc autem ex caritate qua(m) in omnes sanctos habuit producti ad uerticem traditionis quae catecizat ad ecclesias perreximus, ut hii qui bene ducti* sunt eam quae permansit usq(ue) nunc traditionem exponentibus nobis custodiant, et agnoscentes firmiores maneant,

E

Quod de verbo digne scripsimus de donationibus, quanta deus per suum consilium a principio dedit hominibus, dum adducit ad se hominem, eam quae erraverat imaginem.

Et nunc ad dilectum qui (est) in omnibus sanctis venientes, ad verticem traditionis quae decet in ecclesiis pervenimus, ut ii qui bene docti sunt id quod fuit usque nunc traditum custodientes, ordinationem nostram discentes, firmi sint,

1. Prologue [1]

La (partie) du discours [2] qui concerne les charismes, nous l'avons exposée comme il fallait : tous (ces charismes) que Dieu, dès l'origine, accorda aux hommes selon sa volonté, ramenant à lui cette image (*Gen.* 2, 26-27) qui s'était éloignée.

Maintenant, mus par la charité [3] envers tous les saints, nous sommes arrivés à l'essentiel de la tradition qui convient [4] aux Églises, afin que ceux qui sont bien instruits gardent la tradition qui a subsisté jusqu'à présent, suivant l'exposition que nous en faisons, et que, en en prenant connaissance, ils soient affermis,

---

1. Ce prologue est conservé par LE dans un état assez défectueux. Il peut être corrigé grâce à des parallèles de C et d'un fragment syriaque.

2. Le mot *verba* doit probablement être corrigé en *verbi*. Cette « partie du discours » vise sans aucun doute le traité *Des charismes* dont le titre figure sur la statue romaine avant celui de *Tradition apostolique*.

3. Le traducteur latin a compris qu'il s'agissait de l'amour de Dieu pour l'homme, alors qu'il s'agit de la charité de l'auteur à l'égard de tous les chrétiens.

4. La leçon *catec(h)izat* de L provient d'une confusion entre κατηχέω et καθήκω.

L

propter eum qui nuper inuentus est per ignorantiam lapsus uel error, et hos qui ignorant, praestante s(an)c(t)o sp(irit)u perfectam gratiam eis qui recte credunt, ut cognoscant quomodo oportet tradi et custodiri omnia eos qui ecclesiae praesunt.

E

propter conventum nunc in ignorantia lapsi sunt et qui ignorant, dum dat spiritus sanctus perfectam gratiam eis qui in recto credunt, ut sciant quomodo oporteat ut tradant et custodiant ii qui in ecclesia stant.

2. De episcopis

L

Episcopus ordinetur electus ab omni populo, quique cum nominatus fuerit et placuerit omnibus, conueniet populum* una cum praesbyterio et his qui praesentes fuerint episcopi, die dominica. Consentientibus omnibus, inponant super eum manus, et praesbyterium adstet quiescens.

S(AE)

Ordinabitur (χειροτονεῖν) episcopus secundum quod dictum est, electus ab omni populo, irreprehensibilis. Qui cum nominatus erit et placuerit eis, populus omnis conveniet et presbyteri et diaconi, die dominica (κυριακή), episcopis omnibus consentientibus (συνευδοκεῖν) qui imposuerunt manus super eum. Presbyteri stabunt

— à cause de la chute ou de l'erreur qui s'est produite récemment par ignorance, et (à cause) des ignorants — l'Esprit-Saint conférant à ceux qui ont une foi droite la grâce parfaite, afin qu'ils sachent comment doivent enseigner [1] et garder toutes (ces) choses ceux qui sont à la tête de l'Église.

2. Des évêques

Qu'on ordonne [2] comme évêque celui qui a été choisi par tout le peuple, (qui est) irréprochable. Lorsqu'on aura prononcé son nom et qu'il aura été agréé [3], le peuple [4] se rassemblera avec le presbyterium [5] et les évêques qui sont présents, le jour du dimanche. Du consentement de tous, que ceux-ci lui imposent les mains, et que le presbyterium se tienne sans rien faire.

1. Le parallèle de E et le contexte montrent qu'il faut entendre *tradi* et *custodiri* comme des formes déponentes avec sens transitif.
2. Le verbe χειροτονέω conservé par S appartient au vocabulaire juridique classique : c'est l'élection à main levée. Il est encore employé *II Cor.* 8, 19 dans le sens de choisir, désigner. Cependant, dans la *Tradition*, il a pris un sens liturgique technique, sans doute à cause du rite de l'imposition des mains. Il n'est employé que pour l'évêque, le prêtre et le diacre. Voir la fin du ch. 10.
3. Le mot « irréprochable » (cf. *I Tim.* 3, 2) n'a pas de correspondant dans L, mais il est attesté par tous les autres témoins.
4. L ajoute : *omnibus*, omis par SAC (E a ici une lacune). Au lieu de *populum*, lire *populus*.
5. SAE ajoutent : les diacres, ce qui a troublé toute la suite du texte.

L

Omnes autem silentium habeant, orantes in corde propter discensionem sp(i-ritu)s. Ex quibus unus de praesentibus episcopis, ab omnibus rogatus, inponens manum ei qui ordinatur episcopus, oret ita dicens :

S(AE)

et illi omnes silebunt, et orabunt in corde suo ut descendat spiritus sanctus super eum. Rogabitur (ἀξιοῦν) unus ex episcopis stantibus ab omnibus, ut imponat manus suas super eum qui fiet episcopus et oret super eum.

3 (Oratio consecrationis episcopi)

L

D(eu)s et pater d(omi)ni nostri Ie(s)u Chr(ist)i, pater misericordiarum et d(eu)s totius consolationis, qui in excelsis habitas et humilia respices*, qui cognoscis omnia antequam nascantur, tu qui dedisti terminos in ecclesia per uerbum gratiae tuae, praedestinans ex principio genus iustorum Abraham, principes et sacerdotes constituens,

Ep.

Ὁ θεὸς καὶ πατὴρ τοῦ κυρίου ἡμῶν Ἰησοῦ Χριστοῦ, ὁ πατὴρ τῶν οἰκτιρμῶν καὶ θεὸς πάσης παρακλήσεως, ὁ ἐν ὑψηλοῖς κατοικῶν καὶ τὰ ταπεινὰ ἐφορῶν, ὁ γινώσκων τὰ πάντα πρὶν γενέσεως αὐτῶν, σὺ ὁ δοὺς ὅρους ἐκκλησίας διὰ λόγου χάριτός σου, ὁ προορίσας τε ἀπ' ἀρχῆς γένος δίκαιον ἐξ Ἀβραάμ, ἄρχοντάς τε καὶ ἱερεῖς καταστήσας,

Que tous gardent le silence priant dans leur cœur pour la descente de l'Esprit. Après quoi [1], que l'un des évêques présents, à la demande de tous, en imposant la main à celui qui est fait évêque, prie en disant :

3. (Prière du sacre épiscopal) [2]

Dieu et Père de Notre-Seigneur Jésus-Christ, Père des miséricordes et Dieu de toute consolation (*II Cor.* 1, 3), qui habites au plus haut (des cieux) et regardes ce qui est humble (*Ps.* 112,5-6), qui connais toutes choses avant qu'elles soient (*Dan.* 13,42), toi qui as donné les règles [3] de ton Église par la parole de ta grâce, qui as prédestiné dès l'origine la race des justes (descendants) d'Abraham, qui as institué des chefs et des prêtres,

---

1. L : *ex quibus*, traduction mécanique de la locution grecque ἐξ ὧν qui signifie « après quoi, ensuite ».
2. Cette prière est conservée en grec par Ep., mais le texte doit être corrigé par la comparaison avec LETK (SA omettent les prières).
3. Le mot ὅρος signifie limite ou décret. On l'emploiera notamment pour les canons des conciles. Ici le contexte indique qu'il s'agit de la règle donnée « par la parole de ta grâce », c'est-à-dire par l'Écriture sainte. L'Église est le nouvel Israël et ce qui se faisait dans l'Ancien Testament est l'image de ce qui doit se faire dans l'Église.

L

et s(an)c(tu)m tuum sine ministerio non derelinquens, ex initio saeculi bene tibi placuit in his quos elegisti dari : nunc effunde eam uirtutem, quae a te est, principalis sp(iritu)s, quem dedisti dilecto filio tuo Ie(s)u Chr(ist)o, quod donauit sanctis apostolis, qui constituerunt ecclesiam per singula loca sanctificationem tuam, in gloriam et laudem indeficientem nomini tuo.

Da, cordis cognitor pater, super hunc seruum tuum, quem elegisti ad episcopatu(m), pascere gregem sanctam tuam, et primatum sacerdotii tibi exhibere sine repraehensione, seruientem noctu et die, incessanter repropitiari uultum tuum et offerre dona sancta⟨e⟩ ecclesiae tuae, sp(irit)u[m] primatus sacerdotii habere potestatem dimittere peccata secundum mandatum tuum,

Ep.

τό τε ἁγίασμά σου μὴ καταλιπών ἀλειτούργητον, ὁ ἀπὸ καταβολῆς κόσμου εὐδοκήσας ἐν οἷς ἡρετίσω δοξασθῆναι· καὶ νῦν ἐπίχεε τὴν παρά σου δύναμιν τοῦ ἡγεμονικοῦ πνεύματος, ὅπερ διὰ τοῦ ἠγαπημένου σου παιδὸς Ἰησοῦ Χριστοῦ δεδώρησαι τοῖς ἁγίοις σου ἀποστόλοις, οἳ καθίδρυσαν τὴν ἐκκλησίαν κατὰ τόπον ἁγιάσματός σου εἰς δόξαν καὶ αἶνον ἀδιάλειπτον τοῦ ὀνόματός σου.

Καρδιογνῶστα πάντων δὸς ἐπὶ τὸν δοῦλόν σου τοῦτον ὅν ἐξελέξω εἰς ἐπισκοπὴν ⟨ποιμαίνειν τὴν ποιμνήν⟩ σου τὴν ἁγίαν, καὶ ἀρχιερατεύειν σοι ἀμέμπτως, λειτουργοῦντα νυκτὸς καὶ ἡμέρας, ἀδιαλείπτως τε ἱλάσκεσθαι τῷ προσώπῳ σου καὶ προσφέρειν σοι τὰ δῶρα τῆς ἁγίας σου ἐκκλησίας, καὶ τῷ πνεύματι τῷ ἀρχιερατικῷ ἔχειν ἐξουσίαν ἀφιέναι ἁμαρτίας κατὰ τὴν ἐντολήν σου,

---

1. Le participe aoriste εὐδοκήσας ne diffère de la forme de l'indicatif aoriste εὐδόκησας que par l'accent. C'est cette dernière forme que L a traduite.

2. La leçon dari dans L est due probablement à une errcur ou à une mauvaise lecture du modèle grec : δοθῆναι au lieu de δοξασθῆναι.

et n'as pas laissé ton sanctuaire sans service ; (toi) à qui il a plu [1], dès la fondation du monde, d'être glorifié [2] en ceux que tu as choisis, maintenant encore répands la puissance qui vient de toi, (celle) de l'Esprit souverain [3] (*Ps.* 50, 14), que [4] tu as donné à ton Enfant bien-aimé Jésus-Christ, qu'il a accordé à tes saints apôtres qui ont fondé l'Église en tout lieu [5] (comme) ton sanctuaire, pour la gloire et la louange incessante de ton nom.

Accorde, Père [6] qui connais les cœurs, à ton serviteur que tu as choisi pour l'épiscopat, qu'il fasse paître ton saint troupeau [7] et qu'il exerce à ton égard le souverain sacerdoce sans reproche, en te servant nuit et jour ; qu'il rende sans cesse ton visage propice et qu'il offre les dons de ta sainte Église ; qu'il ait, en vertu de l'esprit du souverain sacerdoce, le pouvoir de remettre les péchés suivant ton commandement (*Jn* 20, 23) ;

3. L'ordination confère un charisme spécial. Pour l'évêque, c'est l'Esprit souverain, qui convient à un chef ; pour le prêtre, ce sera l'Esprit de conseil et, pour le diacre, l'Esprit de grâce et de zèle.

4. La double relative de L (que tu as donné... qu'il a accordé) est confirmée par E. Le terme παῖς, habituel dans la *Tradition*, est un signe d'archaïsme. On le trouve pour la première fois appliqué à Jésus dans *Act.* 4, 27. L'expression παῖς θεοῦ est inspirée sans doute par les prophéties d'Isaïe sur le Serviteur de Yahwé. Mais le mot παῖς a deux sens : serviteur et enfant. L'expression pouvait donc être conservée comme synonyme de Fils de Dieu.

5. La traduction du grec de Ep. serait : « les apôtres ont fondé l'Église à la place de ton sanctuaire. » Il faut donner ici raison à L qui a pris κατὰ τόπον dans le sens distributif (en chaque lieu) et qui a gardé l'accusatif (*sanctificationem*) comme attribut.

6. La leçon *pater* de L est confirmée par ET.

7. Ep. a ici une lacune, par saut du même au même, qui peut être facilement comblée d'après LE.

L

dare sortes secundum
praeceptu(m) tuum, so-
luere etiam omnem colle-
gationem secundum po-
testatem quam dedisti
apostolis, placere autem
tibi in mansuetudine et
mundo corde, offerentem
tibi odorem suauitatis,
per puerum tuum Ie(su)m
Chr(istu)m, per quem tibi
gloria et potentia et honor,
patri et filio cum sp(irit)u
s(an)c(to) et nunc et in saecula saeculorum. Amen.

Ep.

διδόναι κλήρους κατὰ τὸ
πρόσταγμά σου, λύειν τε
πάντα σύνδεσμον κατὰ τὴν
ἐξουσίαν ἣν ἔδωκας τοῖς ἀποστόλοις, εὐαρεστεῖν τέ σοι ἐν
πραότητι καὶ καθαρᾷ καρδίᾳ,
προσφέροντά σοι ὀσμὴν εὐω-
δίας διὰ τοῦ παιδός σου Ἰησοῦ
Χριστοῦ τοῦ κυρίου ἡμῶν,
μεθ' οὗ σοι δόξα, κράτος,
τιμή, σὺν ἁγίῳ πνεύματι, νῦν
καὶ ἀεὶ καὶ εἰς τοὺς αἰῶνας
τῶν αἰώνων. Ἀμήν.

4. (De oblatione)

L

Qui cumque factus fuerit
episcopus, omnes os offe-
rant pacis, salutantes eum
quia dignus effectus est.
Illi uero offerant diacones
oblationes*, quique inpo-
nens manus in eam cum
omni praesbyterio dicat
gratia[n]s agens : D(omi)-
n(u)s uobiscum.

S(AE)

Cum factus erit episcopus,
omnes dent pacem (εἰρήνη)
ei in ore eorum, salu-
tantes (ἀσπάζεσθαι) eum.
Diaconi autem inferant
oblationem (προσφορά) ad
eum. Ille autem imponens
manum suam super obla-
tionem (προσφορά) cum
praesbyteris dicat gratias
agens (εὐχαριστεῖν) : Ὁ κύ-
ριος μετὰ πάντων ὑμῶν.

qu'il distribue les charges [1] suivant ton ordre et qu'il délie
de tout lien en vertu du pouvoir que tu as donné aux
apôtres (*Matth.* 18, 18) ; qu'il te plaise par sa douceur
et son cœur pur, en t'offrant un parfum agréable, par ton
Enfant Jésus-Christ, par qui à toi gloire, puissance,
honneur, [Père et Fils] [2] avec le Saint-Esprit dans la
Sainte Église, maintenant et dans les siècles des siècles.
Amen.

4. (De l'oblation)

Quand il a été fait évêque, que tous lui offrent le baiser
de paix, le saluant parce [3] qu'il est devenu digne.

Que les diacres lui présentent l'oblation [4] et que lui,
en imposant les mains sur elle avec tout le presbyterium,
dise en rendant grâces : le Seigneur soit avec vous.

1. Littéralement : les parts. Le mot κλῆρος revient plusieurs fois dans la
Tradition pour désigner les charges ecclésiastiques.

2. Au chap. 6 l'auteur indique comme doxologie de toute bénédiction :
« Gloire à toi, Père et Fils avec le Saint-Esprit dans la sainte Église. » Mais
dans ce cas, la doxologie commence une phrase sans lien avec ce qui précède.
Au contraire ici, comme en d'autres passages, le Fils a été nommé et la doxologie commence par les mots « par qui ». Dans ce cas, les mots « Père et Fils »
me paraissent douteux. Il y a eu contamination entre les deux formes de
doxologie. Les mots « dans la sainte Église » attestés par E, mais omis par L,
sont certainement authentiques.

3. Peut-être faut-il donner à *quia* un sens déclaratif et voir ici une accla-
mation.

4. Lire *oblationem* avec SAE ; voir d'ailleurs plus loin *in eam.*

L

Et omnes dicant :
Et cum sp(irit)u tuo.

Su⟨r⟩sum corda.

Habemus ad dom(inum).

Gratias agamus d(omi)no.

Dignum et iustum est.
Et sic iam prosequatur :

S(AE)

Et populus omnis dicit :
Μετὰ τοῦ πνεύματός σου.
Dicit :
Ἄνω ὑμῶν τὰς καρδίας.
Et populus dicit :
Εὔχωμεν (sic) πρὸς τὸν κύ-
ριον.
Dicit :
Εὐχαριστήσωμεν τὸν κύριον.
Et populus omnis dicit :
Ἄξιον καὶ δίκαιον.
Et oret iam hoc modo et
dicat sequentia secundum
ordinem oblationis (προσ-
φορά) sanctae.

L

Gratias tibi referimus
d(eu)s, per dilectum pue-
rum tuum Ie(su)m Chr(is-
tu)m, quem in ultimis
temporibus misisti nobis
saluatorem et redempto-
rem et angelum uoluntatis
tuae, qui est uerbum tuum
inseparabile[m], per quem
omnia fecisti et bene-
placitum tibi fuit, misisti
de caelo in matricem uir-
ginis, quiq(ue)

E

Gratias tibi referimus
deus, per dilectum filium
tuum Iesum Christum,
quem in ultimis tempori-
bus misisti nobis salvato-
rem et redemptorem et
angelum voluntatis tuae,
qui est verbum quod a te
⟨non separatur⟩, per quem
omnia fecisti, volens, et
misisti de caelo in matricem virginis, qui

Et que tous disent :
Et avec ton esprit.

— Élevez vos cœurs.

Nous les tenons vers le Seigneur.

— Rendons grâces au Seigneur.

C'est digne et juste.
Et qu'il continue alors ainsi :

Nous [1] te rendons grâces, ô Dieu, par ton Enfant bien-aimé Jésus-Christ, que tu nous as envoyé en ces derniers temps (comme) sauveur, rédempteur et messager de ton dessein [2], qui lui est ton Verbe inséparable par qui tu as tout créé et que, dans ton bon plaisir [3], tu as envoyé du ciel dans le sein d'une vierge et qui

1. Nous avons ici la plus ancienne anaphore. Il n'y a pas de Sanctus, mais on y retrouve les autres parties essentielles de la grande prière eucharistique : action de grâces, récit de l'institution, anamnèse, épiclèse et doxologie. Le texte peut être facilement reconstitué par l'accord LET.
2. Allusion à *Is.* 9, 5 d'après les Septante : l'Ange du grand conseil.
3. Même confusion faite par L que dans le chap. 2 entre deux formes du même verbe ; cf. p. 45, n. 1.

Hippolyte de Rome. 4

L

in utero habitus incarnatus est et filius tibi ostensus est, ex sp(irit)u s(an)c(t)o et uirgine natus. Qui uoluntatem tuam conplens et populum sanctum tibi adquirens extendis* manus cum pateretur, ut a passione liberaret eos qui in te crediderunt.

Qui cumque traderetur uoluntariae passioni, ut mortem soluat et uincula diabuli dirumpat, et infernum calcet et iustos iluminet, et terminum figat et resurrectionem manifestet, accipiens panem gratias tibi agens dixit : Accipite, manducate, hoc est corpus meum quod pro uobis confringetur.

E

caro factus est et portatus in ventre et filius tuus ostensus est ex spiritu sancto.

Ut compleret tuam voluntatem et populum tibi faceret, extendit manus suas cum pateretur, ut patientes liberaret qui in te speraverunt.

Qui traditus est in sua voluntate passioni, ut mortem solveret et vincula diaboli dirumperet, et calcaret infernum et sanctos dirigeret, et terminum figeret et resurrectionem manifestaret, accipiens ergo panem gratias egit et dixit : Accipite, manducate, hoc est corpus meum quod pro vobis confringetur.

ayant été conçu, s'est incarné et s'est manifesté comme ton Fils, né de l'Esprit-Saint et de la Vierge.

C'est lui qui, accomplissant ta volonté et t'acquérant un peuple saint, a étendu les mains tandis qu'il souffrait pour délivrer de la souffrance ceux qui ont confiance [1] en toi.

Tandis qu'il se livrait à la souffrance volontaire, pour détruire la mort et rompre les chaînes du diable, fouler aux pieds l'enfer, amener les justes à la lumière [2], fixer la règle [3] (de foi ?) et manifester la résurrection, prenant du pain, il te rendit grâces et dit : Prenez, mangez, ceci est mon corps qui est rompu [4] pour vous.

---

1. ET ont un verbe qui signifie « espérer, avoir confiance » et non « croire » comme dans le latin. La forme πέποιθα peut rendre compte des deux sens.

2. La traduction de T « conduire à la lumière » laisse supposer φωταγω-γέω qui a été traduit imparfaitement par L et E.

3. D'après la concordance LET, le mot grec était certainement ὅρος déjà rencontré au ch. 3 ; cf. p. 43, n. 3. Le choix est difficile entre les deux sens (limite, règle). Si l'on choisit le second, il ne peut s'agir que de la règle de foi. Si l'on préfère le premier, on peut comprendre « la limite de l'enfer ».

4. C a gardé le mot θρυπτόμενον qui apparaît dans *I Cor.* 11, 24 dans le codex D (*Claromontanus*).

L

Similiter et calicem dicens : Hic est sanguis meus qui pro uobis effunditur. Quando hoc facitis, meam commemorationem facitis.

Memores igitur mortis et resurrectionis eius, offerimus tibi panem et calicem, gratias tibi agentes quia nos dignos habuisti adstare coram te et tibi ministrare.

Et petimus ut mittas sp(iritu)m tuum s(an)c(tu)m in oblationem sanctae ecclesiae : in unum congregans des omnibus qui percipiunt sanctis in repletionem sp(iritu)s s(an)c(t)i ad confirmationem fidei in ueritate, ut te laudemus et glorificemus per puerum tuum Ie(su)m Chr(istu)m, per quem tibi gloria et honor patri et filio cum s(an)c(t)o sp(irit)u in sancta ecclesia tua et nunc et in saecula saeculorum. Amen.

E

Similiter et calicem dicens : Hic est sanguis meus qui pro vobis effundetur. Quando hoc facietis, (in) meam commemorationem facietis.

Memores igitur mortis et resurrectionis eius, offerimus tibi hunc panem et calicem, gratias agentes tibi quia nos dignos habuisti adstare coram te et tibi sacerdotium exhibere.

Et petimus ut mittas spiritum tuum sanctum in oblationem sanctae ecclesiae : coniungens da omnibus qui percipiunt sanctitatem in repletionem spiritus sancti ad confirmationem fidei in veritate, ut te glorificent et laudent per filium tuum Iesum Christum, per quem tibi gloria et honor in sancta ecclesia nunc et semper et in saecula saeculorum. Amen.

De même le calice, en disant : Ceci est mon sang qui est répandu pour vous. Quand vous faites [1] ceci, faites-le en mémoire de moi.

Nous souvenant donc de sa mort et de sa résurrection, nous t'offrons ce pain et ce calice, en te rendant grâces de ce que tu nous as jugés dignes de nous tenir devant toi et de te servir comme prêtres [2].

Et nous te demandons d'envoyer ton Esprit-Saint [3] sur l'oblation de la sainte Église. En (les) rassemblant, donne à tous ceux qui participent à tes saints (mystères) [4] (d'y participer) pour être remplis de l'Esprit-Saint, pour l'affermissement de (leur) foi dans la vérité, afin que nous te louions et glorifiions par ton Enfant Jésus-Christ, par qui à toi gloire et honneur avec le Saint-Esprit dans la sainte Église, maintenant et dans les siècles des siècles. Amen.

---

1. La forme ποιεῖτε peut être la deuxième personne du pluriel de l'indicatif présent ou celle de l'impératif. L a traduit les deux fois par l'indicatif ; mais le contexte demande qu'on traduise la seconde fois par l'impératif. On notera aussi l'omission de la préposition *in* devant *memoriam*, qui se trouve dans les récits bibliques, *Lc* 22, 19 et *I Cor.* 11, 24-25.

2. *Ministrare* est trop faible. C confirme la leçon de E : ἱερατεύειν.

3. C'est la plus ancienne épiclèse — invocation de l'Esprit-Saint — et la plus simple. Cette partie de l'anaphore a eu un grand développement dans les liturgies orientales. Sur l'authenticité, voir B. BOTTE, « A propos de la Tradition apostolique », dans *Rech. théol. anc. médiév. 33* (1966), p. 177-186.

4. L a mal compris le texte. Il faut comprendre : *qui percipiunt ex sanctis*, d'après l'accord ET.

5. (De oblatione olei)

L	E
Si quis oleum offert, secundum panis oblationem et uini, et non ad sermonem dicat sed simili uirtute, gratias referat dicens :	Oleum offert secundum oblationem panis et vini, sic gratias agens secundum hunc ordinem. Si eodem sermone non dicit, propria virtute gratias agat et alio sermone dicens :
Ut oleum hoc sanctificans das, d(eu)s, sanitatem* utentibus et percipientibus, unde uncxisti reges, sacerdotes et profetas, sic et omnibus gustantib(us) confortationem et sanitatem utentibus illud praebeat.	Ut oleum hoc sanctificans das eis qui unguntur et percipiunt, in quo unxisti sacerdotes et prophetas, sic illos et omnes qui gustant conforta, et sanctifica eos qui percipiunt.

6. (De oblatione casei et olivarum)

L

Similiter, si quis caseum et oliuas offeret, ita dicat :
Sanctifica lac hoc quod quoagulatum est, et nos conquaglans tuae caritati.

Fac a tua dulcitudine non recedere fructum etiam hunc oliuae qui est exemplu(m) tuae pinguidinis, quam de ligno fluisti in uitam eis qui sperant in te.

In omni uero benedictione dicatur :
Tibi gloria, patri et filio cum s(an)c(t)o sp(irit)u in sancta ecclesia et nunc et semper et in omnia saecula saeculoru(m). ⟨Amen⟩.

1. L'offrande eucharistique amène une digression sur les autres offrandes. On voit par là qu'elles sont distinctes de l'eucharistie. Il sera question plus loin, ch. 31-32, de l'offrande des fruits et des fleurs. Ce chapitre est omis par SA, mais attesté par LE.

2. Le texte contient deux fois le mot *sanitatem*. Il faut corriger la première fois en *sanctitatem*. C'est bien en effet la sanctification que produit l'onction des

5. (De l'offrande de l'huile) [1]

Si quelqu'un offre de l'huile, qu'il (l'évêque) rende grâces de la même manière que pour l'oblation du pain et du vin — qu'il s'exprime non pas dans les mêmes termes, mais dans le même sens — en disant :

De même qu'en sanctifiant cette huile tu donnes, ô Dieu, la sainteté [2] à ceux qui en sont oints [3] et qui la reçoivent, (cette huile) dont tu as oint les rois, les prêtres et les prophètes, qu'ainsi elle procure le réconfort à ceux qui en goûtent et la santé à ceux qui en font usage.

6. (De l'offrande du fromage et des olives) [4]

De même si on offre du fromage et des olives, qu'il (l'évêque) dise ainsi :
Sanctifie ce lait qui est coagulé, en nous coagulant à ta charité.

Fais qu'il ne s'éloigne pas non plus de ta douceur ce fruit de l'olivier qui est le symbole de ton abondance, que tu as fait couler de l'arbre pour (donner) la vie à ceux qui espèrent en toi.

En toute bénédiction qu'on dise :
Gloire [5] à toi, Père et Fils avec le Saint-Esprit dans la sainte Église, maintenant et toujours et dans tous les siècles des siècles. Amen.

rois, des prêtres et des prophètes dont on fait mention immédiatement après.

3. Il y a eu confusion dans L entre χρωμένοις (*utentibus*) et χριομένοις (*unctis*).

4. L est ici le seul témoin ; mais il y a une allusion à la bénédiction de l'huile dans T, et à la doxologie dans K.

5. Sur les deux types de doxologie, cf. ch. 2, p. 47, n. 2.

7. De presbyteris

L

Cum autem praesbyter ordinatur, inponat manum super caput eius episcopus, contingentib(us) etiam praesbyteris, et dicät secundum ea q(uae) praedicta sunt, sicut praediximus super episcopum, orans et dicens :

D(eus) et pater d(omi)ni nostri Ie(s)u Chr(ist)i, respice super seruum tuum istum et inpartire sp(iritu)m gratiae et consilii praesbyteris ut adiubet* et gubernet plebem tuam in corde mundo, sicuti respexisti super populum electionis tuae et praecepisti Moysi ut elegeret praesbyteros quos replesti de sp(irit)u tuo quod tu donasti famulo tuo.

S(AE)

Cum autem episcopus presbyterum ordinat (χειροτονεῖν), imponet manum suam super caput eius, presbyteris omnibus tangentibus eum, et oret super eum secundum modum quem praediximus super episcopum.

E

Deus meus, pater domini nostri et salvatoris nostri Iesu Christi, respice super hunc servum tuum et impertire ei spiritum gratiae et consilium praesbyterii ut sustineat et gubernet plebem tuam in corde mundo, sicut respexisti super populum electum et praecepisti Moysi ut eligeret praesbyteros quos replevisti de spiritu quem donasti famulo tuo et servo tuo Moysi.

7. Des prêtres [1]

Quand on ordonne un prêtre, que l'évêque lui impose la main sur la tête, tandis que les prêtres le touchent également, et qu'il s'exprime ainsi qu'il a été dit plus haut [2], comme nous l'avons dit pour l'évêque, priant et disant :

Dieu et Père de Notre-Seigneur Jésus-Christ, regarde ton serviteur que voici et accorde-lui l'Esprit de grâce et de conseil du presbyterium [3], afin qu'il aide et gouverne ton peuple avec un cœur pur, de même que tu as regardé ton peuple choisi et que tu as ordonné à Moïse de choisir des anciens que tu as remplis de l'Esprit que tu as donné à ton serviteur.

---

1. Après une digression sur les diverses offrandes, on revient à la constitution de l'Église avec l'ordination du prêtre.

2. On a voulu comprendre ces mots comme s'il fallait reprendre la première partie de la prière du sacre épiscopal. Cela me semble peu probable. La typologie développée dans celle-ci ne concerne que l'évêque. La prière pour l'ordination du prêtre a sa propre typologie : les 70 anciens choisis par Moïse et qui reçoivent de son esprit, *Nombr.* 11, 17-25. Le titre πρεσβύτερος signifie ancien.

3. Corriger *presbyteris* en *presbyterii* en L. Le mot grec répondant à *adiuvet* est ἀντιλαμβάνομαι conservé par C.

L

Et nunc, d(omi)ne, praesta
indeficienter conseruari in
nobis sp(iritu)m gratiae
tuae et dignos effice ut
credentes tibi ministremus
in simplicitate cordis, laudantes te per puerum
tuu(m) Chr(istu)m Ie(su)m
per quem tibi gloria et
uirtus, patri et filio cum
sp(irit)u s(an)c(t)o in
sancta ecclesia et nunc
et in saecula saeculorum.
Amen.

E

Et nunc, domine, praesta
huic famulo tuo (illum) qui
non deficit, dum servas nobis, spiritum gratiae tuae
et tribue nobis, implens
nos, ministrare tibi in
corde in simplicitate, glo-
rificantes et laudantes te
per filium tuum Iesum
Christum, per quem tibi
gloria et virtus patri et
filio et spiritu sancto in
tua sancta ecclesia in saecula saeculorum. Amen.

8. De diaconis

L

Diaconus uero cum ordi-
natur, eligatur secundum
ea quae praedicta sunt,
similiter inponens manus
episcopus solus sicuti prae-
cipimus. In diacono ordi-
nando solus episcopus in-
ponat manus, propterea
quia non in sacerdotio
ordinatur, sed in minis-
terio episcopi, ut faciat ea
quae ab ipso iubentur.

S(AE)

Episcopus autem instituet
(καθίστασθαι) diaconum qui
electus est, secundum
quod praedictum est.
Episcopus ponet manus
suas super eum. Propter
quid diximus quod solus
episcopus ponet manus
suas super eum ? Haec est
causa (αἰτία) rei : quia non
ordinatur (χειροτονεῖν) in
sacerdotium sed in minis-
terium (ὑπηρεσία) episcopi,
ut faciat quae iubet ei.

---

1. L est à corriger d'après l'accord EC : *indeficientem conservans spiritum.*
2. Texte corrigé d'après l'accord ECT ; L a lu πεισθέντες au lieu de πλησθέντες.

Maintenant encore, Seigneur, accorde, en le gardant indéfectible [1] en nous, l'Esprit de ta grâce, et rends-nous dignes, (une fois) remplis [2] (de cet Esprit), de te servir dans la simplicité du cœur, en te louant par ton Enfant Jésus-Christ, par qui à toi gloire et puissance, [Père et Fils] [3] avec l'Esprit-Saint dans la sainte Église, maintenant et dans les siècles des siècles. Amen.

8. Des diacres

Quand on institue [4] un diacre, qu'on le choisisse ainsi qu'il a été dit plus haut, l'évêque seul imposant les mains, comme nous l'avons prescrit. A l'ordination du diacre, que l'évêque seul impose les mains, parce qu'il (le diacre) n'est pas ordonné au sacerdoce, mais au service de l'évêque [5] pour faire ce que celui-ci lui indique.

3. Sur la doxologie, voir ch. 3, p. 47, n. 2.

4. S a gardé ici le mot grec καθίστασθαι (instituer), cependant χειροτο-νέω est employé plus loin.

5. Il n'y a pas lieu de considérer *episcopi* comme un génitif subjectif dépendant à la fois de *sacerdotio* et de *ministerio* : « Le diacre n'est pas ordonné pour le sacerdoce de l'évêque, mais pour son ministère (de l'évêque). » L'auteur aurait choisi la manière la plus obscure de s'exprimer. Si telle avait été son idée, il aurait dit : « non in sacerdotio episcopi ordinatur, sed in eius ministerio. » Qu'il faille comprendre *episcopi* comme un génitif objectif dépendant seulement de *ministerio* (le diacre sert l'évêque) est indiqué par la phrase qui suit : *ut faciat quae ab ipso iubentur*. De plus le mot grec traduit par *ministerium* est conservé par S : ὑπηρεσία, qui insiste sur la subordination. Jamais la *Tradition* n'emploie ὑπηρεσία et ses dérivés à propos de l'évêque.

L

Non est enim particeps
consilii in clero, sed curas
agens et indicans episcopo
quae oportet, non acci-
piens communem praes-
byteri⟨i⟩ sp(iritu)m eum
cuius participes praesby-
teri sunt, sed id quod
sub potestate episcopi est
creditum. Qua de re epis-
copus solus diaconum
faciat ; super praesbyte-
rum autem etiam praes-
byteri superinponant ma-
nus propter communem
et similem cleri sp(iritu)m.
Praesbyter enim huius
solius habet potestatem
ut accipiat, dare aʋtem
non habet potestatem.
Quapropter clerum non
ordinat; super praesby-
teri uero ordinatione con-
signat episcopo ordinante.

S(AE)

Neque instituitur (καθί-
στασθαι) ut sit consiliarius
(σύμβουλος) totius cleri
(κλῆρος) sed ut curas agat
infirmorum et moneat
episcopum de eis. Neque
instituitur (καθίστασθαι) ut
accipiat spiritum (πνεῦμα)
magnitudinis cuius pres-
byteri participantur (μετέ-
χειν) sed ut sit dignus
(ἄξιος) ut episcopus credat
(πιστεύειν) ei quae oportet.
Proptera episcopus solus
est qui ordinat (χειροτο-
νεῖν) diaconum. Quoad
presbyterum autem, quia
episcopus ⟨et omnes pres-
byteri⟩ participantur (με-
τέχειν) eius, imponant manum super eum, quia
spiritus unus est qui descendit super eum. Presby-
ter enim accipit solum ;
non est ei potestas (ἐξουσία) dare clerum (κλῆρος).
Quapropter non potest
instituere (καθίστασθαι) cle-
ricos (κληρικός). Signat
(σφραγίζειν) autem presbyterum tantum cum epis-
copus ordinat (χειροτονεῖν).

En effet, il ne fait pas partie du conseil du clergé, mais il administre [1] et il signale à l'évêque ce qui est nécessaire. Il ne reçoit pas l'esprit commun du presbyterium auquel participent les prêtres, mais celui qui [2] lui est confié sous le pouvoir de l'évêque. C'est pourquoi, que l'évêque seul ordonne le diacre ; mais sur le prêtre, que les prêtres également imposent les mains, à cause de l'Esprit commun et semblable de (leur) charge. Le prêtre, en effet, n'a que le pouvoir de (le)recevoir [3], mais il n'a pas le pouvoir de (le) donner. Aussi n'institue-t-il pas les clercs. Cependant, pour l'ordination du prêtre, il fait le geste [4] tandis que l'évêque ordonne.

1. D'après l'accord LAE, seul S ajoute *infirmorum*.

2. Il faut comprendre *id quod = eum qui*, se rapportant à *spiritun*. L a traduit mécaniquement le relatif grec qui était au neutre à cause de πνεῦμα.

3. SA ont ajouté un complément au verbe donner : les charges ecclésiastiques. La phrase précédente, qui parle de l'Esprit commun du sacerdoce, explique L : le prêtre peut recevoir l'Esprit, mais non le communiquer.

4. Le verbe σφραγίζω conservé par S a généralement le sens de faire le signe de croix dans la *Tradition*. Ici il ne peut être question que de l'imposition des mains qui est prescrite au chapitre précédent.

L

Super diaconum autem
ita dicat : D(eu)s, qui
omnia creasti et uerbo
perordinasti, pater d(omi)-
ni nostri Ie(s)u Chr(ist)i,
quem misisti ministrare
tuam uoluntatem et ma-
nifestare nobis tuum de-
siderium, da sp(iritu)m
s(an)c(tu)m gratiae et sollicitudinis et industriae
in hunc seruum tuum,
quem elegisti ministrare
ecclesiae tuae et offerre...

E

Oratio ordinationis dia-
coni.

Deus, qui omnia creasti et
verbo tuo ornasti, pater
domini nostri Iesu Christi,
quem misisti ministrare
in tua voluntate et mani-
festare nobis consilium
tuum, da spiritum gratiae
tuae et sollicitudinis in
hunc servum tuum, quem
elegisti ut diaconus sit in
tua ecclesia et offerat

T

in sanctitate ad sanctua-
rium tuum quae offe-
runtur ab herede summi
sacerdotii, ut, sine reprehensione et pure et munde
et in mente pura minis-
trans, dignus sit gradu
hoc magno et excelso
per voluntatem tuam.

in sancto sanctorum tuo
quod tibi offertur a cons-
tituto principe sacerdotum
tuo ad gloriam nominis
tui, ut sine reprehensione
et puro more ministrans,
gradum maioris ordinis
assequatur, et laudet te
et glorificet te per filium
tuum Iesum Christum do-
minum nostrum, per quem
tibi gloria et potentia et
laus, cum spiritu sancto,
nunc et semper et in sae-
cula saeculorum. Amen.

Sur le diacre, qu'il dise ainsi : Dieu, qui as tout créé et tout disposé [1] par le Verbe, Père de Notre-Seigneur Jésus-Christ, que tu as envoyé pour servir suivant ta volonté [2] et nous manifester ton dessein, accorde l'Esprit de grâce et de zèle [3] à ton serviteur, que tu as choisi pour servir ton Église et pour présenter [4]

dans ton sanctuaire ce qui t'est offert par celui qui est établi comme ton grand-prêtre, à la gloire de ton nom, afin qu'en servant sans reproche et dans une vie pure, il obtienne un degré supérieur (*I Tim.* 3, 13), et qu'il te loue et glorifie par ton Enfant Jésus-Christ Notre-Seigneur, par qui à toi gloire, puissance, louange, avec l'Esprit-Saint, maintenant et toujours et dans les siècles des siècles. Amen.

1. On pourrait songer à corriger *perordinasti* en *perornasti*. Il est plus probable que le grec avait le verbe κοσμέω ou διακοσμέω qui expliquerait les deux traductions. Celle de L est plus exacte dans ce contexte.

2. Allusion à *Is.* 9, 5 d'après les LXX ; cf. p. 49, n. 2.

3. ET n'ont qu'un seul mot, tandis que L a *sollicitudinis et industriae*. Il est probable que nous sommes en présence d'un doublet de traduction introduit après coup dans le texte.

4. A partir de cet endroit L est lacuneux. Le texte est conservé par E, avec des parallèles dans TC.

9. De confessoribus

S(AE)

Confessor (ὁμολογητής) autem, si fuit in vinculis propter nomen domini, non imponetur manus super eum ad diaconatum (διακονία) vel presbyteratum (-πρεσβύτερος). Habet enim honorem (τιμή) presbyteratus (-πρεσβύτερος) per suam confessionem (ὁμολογία). Si autem instituitur (καθίστασθαι) episcopus, imponetur ei manus.

Si autem confessor (ὁμολογητής) est qui non est ductus coram potestate (ἐξουσία) neque castigatus est (κολάζειν) in catenis, neque inclusus est in carcere, neque damnatus est (κατακρίνειν) alia poena (καταδίκη), sed per occasionem despectus est tantum propter nomen domini nostri et castigatus est (κολάζειν) castigatione (κόλασις) domestica, si autem confessus est (ὁμολογεῖν), quocumque officio (κλῆρος) sit dignus, imponatur manus super eum.

Episcopus autem gratias agat (εὐχαριστεῖν) secundum quod praediximus. Nullo modo (οὐ πάντως) necessarium est (ἀναγκή) ut proferat eadem verba quae praediximus, quasi (ὡς) studens (μελετᾶν) ex memoria (ἀπόστηθος); gratias agens (εὐχαριστεῖν) deo ; sed secundum suam potestatem unusquisque oret. Si quidem aliquis habet potestatem orandi cum sufficientia (-ἱκανός) et oratione (προσευχή) solemni, bonum est (ἀγαθόν). Si autem aliquis, dum orat, profert orationem (προσευχή) in mensura, ne impediatis (κωλύειν) eum. Tantum (μόνον) oret quod sanum est in orthodoxia (-ὀρθόδοξος).

9. Des confesseurs [1]

Si un confesseur a été arrêté pour le nom du Seigneur, on ne lui imposera pas la main pour le diaconat ou pour la prêtrise, car il possède l'honneur de la prêtrise de par sa confession. Mais si on l'institue évêque, on lui imposera la main.

Mais s'il y a un confesseur qui n'a pas été conduit devant l'autorité, qui n'a pas été frappé d'arrestation ni mis en prison ni condamné à une autre peine, mais qui a été à l'occasion tourné en dérision pour le nom de Notre-Seigneur et puni d'un châtiment domestique, s'il a confessé (sa foi), qu'on lui impose la main pour tout ordre dont il est digne.

Que l'évêque rende grâces comme nous l'avons dit plus haut. Il n'est pas du tout nécessaire qu'il prononce les mêmes mots que nous avons dits [2], comme s'il s'efforçait de (les dire) par cœur, en rendant grâces à Dieu ; mais que chacun prie selon ses capacités. Si quelqu'un est capable de prier assez longuement et (de dire) une prière solennelle, c'est bien. Mais si quelqu'un, quand il prie, dit une prière mesurée, qu'on ne l'en empêche pas, pourvu qu'il dise une prière d'une saine orthodoxie.

---

1. Sur le problème des confesseurs, voir l'Introduction, p. 27.
2. On voit que l'auteur ne donne pas ses formules comme des textes invariables, mais comme des modèles. Le texte est certain (οὐ πάντως), bien que l'arabe n'ait pas lu la négation (οὐ). La suite montre d'ailleurs que l'auteur n'exige qu'une condition : l'orthodoxie. Si nous nous reportons aux controverses de l'époque, nous devons comprendre qu'il critique les prières d'inspiration monarchienne ou modaliste qui ne distinguent pas réellement les personnes divines.

Hippolyte de Rome.   5

10. De viduis

S(AE)

Vidua (χήρα) autem cum instituitur (καθίστασθαι) non ordinatur (χειροτονεῖν) sed eligitur ex nomine. Si autem vir eius mortuus est a tempore magno, instituatur (καθίστασθαι). Si autem non post multum tempus mortuus est vir eius, non confidatur (πιστεύειν) ei. Sed si senuit, probetur (δοκιμάζειν) per tempus (χρόνος). Saepe (πολλάκις) enim passiones (πάθος) senescunt cum eo qui ponit locum eis in seipso. Instituatur (καθίστασθαι) vidua (χήρα) per verbum tantum et se iungat cum reliquo. Non autem imponetur manus super eam, quia non offert oblationem (προσφορά) neque habet liturgiam (λειτουργία). Ordinatio (χειροτονία) autem fit cum clero (κλῆρος) propter liturgiam (λειτουργία). Vidua (χήρα) autem instituitur (καθίστασθαι) propter orationem : haec autem est omnium.

11. De lectore

Ep.

Ἀναγνώστης καθίσταται ἐπιδόντος αὐτῷ βιβλίον τοῦ ἐπισκόπου· οὐδὲ γὰρ χειροθετεῖται.

S(AE)

Lector (ἀναγνώστης) instituetur (καθίστασθαι) cum episcópus dabit ei librum, non autem imponetur manus super eum.

10. Des veuves

Quand on institue une veuve, on ne l'ordonne pas, mais elle est désignée par (ce) titre. Si son mari est mort depuis longtemps, qu'on l'institue. Mais si son mari est mort depuis peu, qu'on ne lui fasse pas confiance ; mais (même) si elle est âgée, qu'on l'éprouve pendant un certain temps. Car souvent les passions vieillissent avec celui qui leur fait place en lui-même. Qu'on institue la veuve par la parole seulement et qu'elle se joigne aux autres (veuves). Mais on ne lui imposera pas la main, parce qu'elle n'offre pas l'oblation et n'a pas de service liturgique. Or l'ordination [1] se fait, pour les clercs, en vue du service liturgique. La veuve, elle, est instituée pour la prière, qui est (le rôle commun) de tous.

11. Du lecteur

Le lecteur est institué quand l'évêque lui remet le livre, car il ne reçoit pas l'imposition des mains.

1. On voit que le mot χειροτονία a déjà pris son sens chrétien d'ordination et ne signifie plus une simple élection comme à l'époque classique. L'imposition des mains est réservée à l'évêque, au prêtre et au diacre, qui reçoivent chacun un don spécial de l'Esprit. La tradition occidentale gardera cette distinction. En Orient au contraire, déjà dans les *Constitutions apostoliques*, l'imposition des mains sera étendue aux ordres mineurs.

S(AE)

12. De virgine

Non imponetur manus super virginem (παρθένος), sed propositum (προαίρεσις) tantum facit eam virginem (παρθένος).

13. De subdiacono

Non imponetur manus super subdiaconum, sed nominabitur (ὀνομάζειν) ut sequatur diaconum.

14. De gratiis curationum

Si quis autem dicit : accepi gratiam curationis in revelatione (ἀποκάλυψις), non imponetur manus super eum. Ipsa enim res manifestabit an dixerit veritatem.

15. De novis qui accedunt ad fidem

Qui autem adducuntur noviter ad audiendum verbum, adducantur primum coram doctores priusquam omnis populus intret, et interrogentur de causa (αἰτία) propter quam accedunt ad fidem. Et dent testimonium super eos illi qui adduxerunt eos an sit eis virtus ad audiendum verbum. Interrogentur autem de vita (βίος) eorum qualis sit : an sit ei mulier vel an sit servus. Et si quis est servus alicuius fidelis, et dominus eius ei permittit (ἐπιτρέπειν), audiat verbum. Si dominus non dat testimonium de eo quia bonus est, reiciatur.

---

1. Dans TC, le sous-diacre a été placé avant le lecteur. C'est probablement une correction. Nous suivons l'ordre de SAEK qui est plus probable.

2. Avec ce chapitre commence une section (15-21) qui a son unité. Dans tout ce qui précède, l'auteur a décrit l'organisation de la communauté. Il va maintenant expliquer comment on entre dans cette communauté. Ces cha-

12. De la vierge

On n'imposera pas la main à une vierge, mais sa décision seule la fait vierge.

13. Du sous-diacre [1]

On n'imposera pas la main au sous-diacre, mais on le nommera pour qu'il suive le diacre.

14. Des dons de guérison

Si quelqu'un dit : J'ai reçu le don de guérison dans une révélation, on ne lui imposera pas la main. Les faits eux-mêmes montreront s'il a dit la vérité.

15. Des nouveaux venus à la foi [2]

Ceux qui se présentent [3] pour la première fois afin d'entendre la parole seront amenés tout d'abord devant les docteurs avant que tout le peuple n'arrive, et on leur demandera la raison pour laquelle ils viennent à la foi. Ceux qui les ont amenés témoigneront à leur sujet (pour qu'on sache) s'ils sont capables d'entendre (la parole). On les interrogera sur leur état de vie : a-t-il une femme, est-il esclave ? Si quelqu'un est esclave d'un fidèle et si son maître le lui permet, il entendra la parole. Si son maître ne témoigne pas à son sujet (en disant) qu'il est bon, on le renverra.

pitres donnent une description complète de tous les rites d'initiation, depuis la première démarche des candidats jusqu'à l'eucharistie qui est la dernière étape.

3. A la leçon de S (*adducuntur*), il faut préférer celle de ATC (qui se présentent).

S(AE)

Si paganus (ἐθνικός) est dominus eius, doce eum placere domino suo, ne blasphemia (βλασφημία) fiat. Si autem aliquis habet mulierem, vel mulier virum, doceantur contenti esse vir muliere et mulier viro. Si quis autem non vivit cum muliere, doceatur non fornicari (πορνεύειν), sed sumere mulierem secundum legem (κατὰ νόμον), vel manere sicut est. Si quis autem daemonium habet, ne audiat verbum doctrinae donec purus sit.

16. De operibus et occupationibus (ἐπιστήμη)

Inquiretur autem de operibus et occupationibus eorum qui adducuntur ut instruantur (κατηχεῖσθαι), in quo sint. Si quis est πορνοβοσκός vel qui nutrit meretrices (πόρνη), vel cesset vel reiciatur. Si quis est sculptor vel pictor (ζωγραφος), doceantur ne faciant idola (εἴδωλον) : vel cessent vel reiciantur. Si quis est scenicus (θεατρικός) vel qui facit demonstrationem (ὑπόδειξις) in theatro (θέατρον), vel cesset vel reiciatur. Qui docet pueros, bonum est ut cesset; si non habet artem (τέχνη), permittatur ei.

Si son maître est païen, on lui apprendra à plaire à son maître [1], pour qu'il n'y ait pas de calomnie.

Si un homme a une femme ou si une femme a un mari, on leur apprendra à se contenter, le mari de sa femme et la femme de son mari. Si quelqu'un ne vit pas avec une femme, on lui apprendra à ne pas commettre la fornication, mais à prendre femme conformément à la loi ou bien à demeurer comme il est.

Si quelqu'un est possédé du démon, il n'entendra pas la parole de l'enseignement jusqu'à ce qu'il soit purifié.

16. Des métiers et professions

On enquêtera (pour savoir) quels sont les métiers et professions de ceux qu'on amène pour les instruire.

Si quelqu'un est tenancier d'une maison de prostitution, il cessera ou sera renvoyé.

Si quelqu'un est sculpteur [2] ou peintre, on leur enseignera à ne pas fabriquer d'idoles ; ils cesseront ou seront renvoyés.

Si quelqu'un est acteur ou donne des représentations au théâtre, il cessera ou sera renvoyé.

Celui qui donne l'enseignement aux enfants, il vaut mieux qu'il cesse ; s'il n'a pas (d'autre) métier, on lui permettra (d'enseigner).

---

1. La leçon de S, que nous traduisons, est garantie par C, contre AE : qu'on sache s'il plaît à son maître. Il ne s'agit pas de subordonner leur admission au bon plaisir d'un maître païen.

2. Dans toute cette partie, il s'agit de métiers qui ont des relations avec le paganisme. La sévérité vis-à-vis du maître d'école vient de ce qu'il était obligé d'enseigner les auteurs païens.

S(AE)

Auriga (ἡνίοχος) similiter (ὁμοίως) qui certat (ἀγωνίζεσθαι)
et vadit ad agonem (ἀγών), vel cesset vel reiciatur. Qui
est gladiator (μονομάχος) vel docet eos qui sunt inter gla-
diatores (μονομάχος) pugnare, vel venator (κυνηγός) qui
est in venatione (κυνηγίον), vel publicus (δημόσιος) qui est
in re gladiatoria (μονομάχιον), vel cesset vel reiciatur. Qui
est sacerdos idolorum (-εἴδωλον), vel custos idolorum
(-εἴδωλον) cesset vel reiciatur.

Miles qui est in potestate (ἐξουσία) non occidet hominem.
Si iubetur, non exequetur rem, neque faciet iuramen-
tum. Si autem non vult, reiciatur. Qui habet potestatem
(ἐξουσία) gladii, vel magistratus (ἄρχων) civitatis (πόλις)
qui induitur purpura, vel cesset vel reiciatur. Catechumenus vel fidelis qui volunt fieri milites reiciantur, quia
contempserunt (καταφρονεῖν) deum.

Meretrix vel homo luxuriosus vel qui se abscidit, et si
quis alius facit rem quam non decet dicere, reiciantur ;
impuri enim sunt.

De même le cocher qui concourt ou celui qui prend part aux jeux [1] cessera ou sera renvoyé. Le gladiateur ou celui qui apprend aux gladiateurs à combattre, ou le bestiaire qui prend part à la chasse (dans l'arène), ou le fonctionnaire attaché aux jeux des gladiateurs cessera ou sera renvoyé.

Celui qui est prêtre d'idole ou gardien d'idole cessera ou sera renvoyé.

Le soldat subalterne ne tuera personne [2]. S'il en reçoit l'ordre, il ne l'exécutera pas, et il ne prêtera pas serment. S'il refuse, il sera renvoyé. Celui qui a le pouvoir du glaive ou le magistrat d'une cité, qui porte la pourpre, cessera ou il sera renvoyé. Le catéchumène ou le fidèle qui veulent se faire soldats seront renvoyés, parce qu'ils ont méprisé Dieu.

La prostituée ou l'inverti ou le mignon et quiconque fait des choses dont on ne peut parler [3] seront renvoyés, parce qu'ils sont impurs.

1. Il ne s'agit pas des spectateurs, puisqu'on énumère des métiers. D'autre part le verbe *vadit* ne peut avoir pour sujet *auriga*, sinon il y aurait une tautologie. Il faut donc comprendre : le cocher et (ou) celui qui prend part aux jeux.

2. Il s'agit ici du métier des armes. L'expression *qui est in potestate* s'explique par ce qui suit : on distingue le magistrat ou l'officier supérieur qui a le pouvoir du glaive et le subordonné qui est exposé à exécuter un ordre.

3. Dans cette dernière section, il ne s'agit plus de métiers reconnus, mais d'occupations infamantes.

S(AE)

Neque adducatur magus (μάγος) in iudicium (κρίσις). Incantator vel astrologus (ἀστρολόγος) vel divinator vel interpres somniorum, vel qui turbat populum, vel ψελλιστής qui abscindit oram vestium, vel qui facit phylacteria (φυλακτήριον), vel cessent vel reiciantur. Concubina (παλλακή) alicuius, si est eius serva et nutrivit pueros suos et adhaesit illi soli, audiat ; secus reiciatur. Homo qui habet concubinam (παλλακή) cesset et sumat uxorem secundum legem (κατά, νόμος) ; si autem non vult, reiciatur.
Si omisimus aliam rem, occupationes ipsae docebunt vos. Omnes enim habemus spiritum dei.

17. De tempore (χρόνος) audiendi verbum post opera et occupationes (ἐπιστήμη)

Catechumeni per tres annos audiant verbum. Si quis autem sollicitus (σπουδαῖος) est et instat (προσκαρτερεῖν) rei bene (καλῶς), non iudicabitur (κρίνειν) tempus (χρόνος), sed conversatio (τρόπος) sola est quae iudicabitur (κρίνειν) tantum.

On n'admettra pas non plus le mage à l'examen. L'enchanteur, l'astrologue, le devin, l'interprète de songes, le charlatan [1], le « coupeur » qui rogne le bord des pièces (de monnaie) [2], ou le fabriquant d'amulettes cesseront ou ils seront renvoyés.

La concubine de quelqu'un, si elle est son esclave, si elle a élevé ses enfants et s'est attachée à lui seul, entendra (la parole) ; sinon elle sera renvoyée. L'homme qui a une concubine cessera et prendra femme suivant la loi ; s'il refuse il sera renvoyé.

Si nous avons omis quelque autre chose, les professions elles-mêmes vous instruiront, car nous avons tous l'Esprit de Dieu.

17. De la durée de l'instruction
après (l'examen des) métiers et professions

Les catéchumènes entendront la parole pendant trois ans. Cependant si quelqu'un est zélé et s'applique bien à la chose, on ne jugera pas le temps, mais la conduite seule sera jugée.

---

1. Le mot charlatan répond au copte : *qui conturbat populum,* lequel recouvre ὀχλαγωγός conservé par C. Il ne s'agit pas des agitateurs politiques, mais des charlatans qui attirent la foule.

2. Le texte est ici très obscur. J'ai essayé de l'expliquer par une conjecture : l'usage de falsifier la monnaie en rognant les pièces d'or. Voir B. BOTTE « Psellistès-Psalistès » dans *Revue des études byzantines 16* (1958), 162-165.

S(AE)

18. De oratione eorum qui audiunt verbum

Quando (ὅταν) doctor cessavit instructionem dare (κατηχεῖσθαι), catechumeni orent seorsum, separati a fidelibus,
et mulieres stent orantes in aliquo loco in ecclesia seorsum, sive mulieres fideles sive mulieres catechumenae.
Cum autem desierint orare, non dabunt pacem (εἰρήνη);
nondum enim osculum eorum sanctum est. Fideles vero
salutent (ἀσπάζεσθαι) invicem, viri cum viris et mulieres
cum mulieribus ; viri autem non salutabunt (ἀσπάζεσθαι)
mulieres. Mulieres autem omnes operiant capita sua pal-
lio (πάλλιον) ; sed non tantum per genus (εἶδος) lini, non
enim est velum (κάλυμμα).

19. De impositione manus super catechumenos

Cum doctor post precem imposuit manum super catechumenos, oret et dimittat eos. Sive clericus (ἐκκλησιαστι-
κός) est qui dat (doctrinam), sive laicus (λαϊκός), faciat
sic. Si apprehenditur catechumenus propter nomen
domini, ne faciat cor duplex propter testimonium. Si
enim violentia ei infertur et occiditur, cum peccata sua
nondum remissa sunt, iustificabitur. Accepit enim baptismum in sanguine suo.

18. De la prière de ceux qui reçoivent l'instruction

Quand le docteur a cessé de faire la catéchèse, les catéchumènes prieront à part, séparés des fidèles. Les femmes prieront dans un lieu à part à l'église, qu'il s'agisse des fidèles ou des catéchumènes. Quand ils auront fini de prier, ils ne se donneront pas le baiser de paix, car leur baiser n'est pas encore saint [1]. Les fidèles se salueront mutuellement, les hommes avec les hommes et les femmes avec les femmes ; mais les hommes ne salueront pas les femmes. Les femmes se couvriront toutes la tête d'un pallium ; mais pas seulement d'une étoffe de lin, car ce n'est pas un voile.

19. De l'imposition de la main sur les catéchumènes

Quand le docteur, après la prière, a imposé la main sur les catéchumènes, il priera et les renverra. Que celui qui enseigne soit clerc ou laïc, il fera ainsi.

Si un catéchumène est arrêté pour le nom du Seigneur, qu'il ne soit pas inquiet pour son témoignage. Car si on lui fait violence et s'il est tué alors que ses péchés n'ont pas encore été remis, il sera justifié, car il a reçu le baptême dans son sang.

---

1. Le mot copte peut signifier pur ou saint. C'est celui qui est employé quand il est question du « saint baiser » dans le Nouveau Testament, *Rom.* 16, 16 ; *I Cor.* 16, 20 ; *II Cor.* 13, 12 ; *I Thess.* 5, 26.

S(AE)

20. De iis qui accipient baptismum

Cum autem eliguntur qui accepturi sunt baptismum, examinatur vita (βίος) eorum : an vixerint in honestate (-σεμνός) dum essent catechumeni, an honoraverint viduas (χήρα), an visitaverint infirmos, an fecerint omnem rem bonam. Et cum illi qui adduxerunt eos testantur super eum : fecit hoc modo, audiant evangelium (εὐαγγέλιον). A tempore quo separati sunt, imponatur manus super eos quotidie dum exorcizantur (ἐξορχίζειν). Cum appropinquat dies quo baptizabuntur, episcopus exorcizet (ἐξορχίζειν) unumquemque eorum ut sciat an purus sit. Si quis autem non est bonus (καλός) aut non est purus (καθαρός), ponatur seorsum, quia non audivit verbum in fide (πίστις), quia impossibile est ut alienus se abscondat semper. Doceantur qui baptizandi sunt ut abluantur [et se faciant liberos] et se lavent die quinta hebdomadae (σάββατον). Si autem mulier est in regulis mulierum, ponatur seorsum et accipiat baptismum alia die. Ieiunent (νηστεύειν) qui accipient baptismum, in parasceve (παρασκευή) sabbati (σάββατον); et sabbato (σάββατον), qui accipient baptismum congregabuntur in locum unum in voluntate (γνώμη) episcopi. Iubeatur illis omnibus ut orent et flectent genua. Et imponens manum suam super eos, exorcizet (ἐξορχί-ζειν) omnes spiritus alienos ut fugiant ex eis et non revertantur iam in eos. Et cum cessaverit exorcizare (ἐξορχίζειν), exsufflet in faciem eorum

20. De ceux qui vont recevoir le baptême

Quand on choisit [1] ceux qui vont recevoir le baptême, on examine leur vie : Ont-ils vécu honnêtement pendant qu'ils étaient catéchumènes ? Ont-ils honoré les veuves ? Ont-ils visité les malades ? Ont-ils fait toutes sortes de bonnes œuvres ? Si ceux qui les ont amenés rendent témoignage sur chacun : Il a agi ainsi, ils entendront l'évangile. A partir du moment où ils ont été mis à part, on leur imposera la main tous les jours en les exorcisant. Quand approche le jour où ils vont être baptisés, l'évêque exorcisera chacun d'eux pour savoir s'il est pur. Si quelqu'un n'est pas bon ou n'est pas pur, on l'écartera, parce qu'il n'a pas entendu la parole avec foi, car il est impossible que l'Étranger [2] se dérobe toujours.

On avertira ceux qui doivent être baptisés qu'ils se baignent et qu'ils se lavent [3] le jeudi. Si une femme est dans ses règles, on l'écartera et elle recevra le baptême un autre jour. Ceux qui vont recevoir le baptême jeûneront le vendredi. Le samedi l'évêque réunira en un même lieu ceux qui vont recevoir le baptême. On leur ordonnera à tous de prier et de fléchir les genoux, et en leur imposant la main, il (l'évêque) adjurera tout esprit étranger de les quitter et de ne pas revenir en eux. Quand il aura cessé d'exorciser, il soufflera sur leur visage [4]

---

1. Dans le rite romain, ceux qui se préparent immédiatement au baptême s'appellent *electi*.

2. Le démon, ὁ ἀντικείμενος.

3. Les mots de S *et se faciant liberos* est une glose provenant d'une confusion entre deux mots coptes.

4. On trouve ici un usage analogue à celui de l'*effeta* du baptême romain : exsufflation, signation du front, des oreilles et des narines. Le rituel romain ne parle pas du front, mais il prescrit l'usage de la salive, sous l'influence de *Mc* 7, 33. Le rite primitif n'avait rien à voir avec cet épisode.

S(AE)

et cum signaverit (σφραγίζειν) frontem, aures et nares eorum, suscitabit eos. Et agent totam noctem vigilantes, et legetur eis et instruentur (κατηχεῖσθαι). Baptizandi ne adducant secum ullam rem, nisi solum quod unusquisque adducit propter eucharistiam (εὐχαριστία). Decet enim ut qui dignus effectus est offerat oblationem (προσφορά) eadem hora.

21. De traditione (παράδοσις) baptismi sancti

Tempore quo gallus (ἀλέκτωρ) cantat, oretur primum super aquam. Sit aqua fluens in fonte (κολυμβήθρα) vel fluens de alto. Fiat autem hoc modo, nisi sit aliqua necessitas (ἀνάγκη). Si autem necessitas (ἀνάγκη) est permanens et urgens, utere (χρῆσθαι) aquam quam invenis. Ponent autem vestes, et baptizate primum parvulos. Omnes autem qui possunt loqui pro se, loquantur. Qui autem non possunt loqui pro se, parentes eorum loquantur pro eis, vel aliquis ex eorum genere (γένος). Postea baptizate viros, tandem autem mulieres quae solverunt crines suos omnes et après leur avoir signé le front, les oreilles et les narines, il les fera se relever. Ils passeront toute la nuit à veiller ; on leur fera des lectures et on les instruira. Ceux qui vont être baptisés n'apporteront avec eux aucune chose [1], mais seulement ce que chacun apporte pour l'eucharistie. Il convient en effet que celui qui est devenu digne offre l'oblation à la même heure.

21. De la tradition du saint baptême

Au moment où le coq chante, on priera tout d'abord sur l'eau [2]. Que ce soit de l'eau qui coule dans la fontaine ou qui coule d'en haut. Il en sera ainsi à moins qu'il n'y ait une nécessité. Mais s'il y a une nécessité permanente et urgente, on se servira de l'eau qu'on trouve. Ils se déshabilleront, et on baptisera en premier lieu les enfants. Tous ceux qui peuvent parler pour eux-mêmes parleront. Quant à ceux qui ne le peuvent pas [3], leurs parents parleront pour eux, ou quelqu'un de leur famille. On baptisera ensuite les hommes et enfin les femmes après qu'elles auront dénoué leurs cheveux

---

1. Le mot copte a été parfois traduit par vase, mais il a un sens beaucoup plus vague. Il est employé dans le titre du ch. 33, avec le sens de *aliquid*. Si le mot grec avait été σκεῦος, le traducteur l'aurait probablement transcrit, comme il le fait au chapitre suivant à propos de l'huile.

2. Il n'y a aucune raison de changer ici le texte de SAE sous prétexte que l'on baptisait dans les fleuves ou les cours d'eau.

3. Nous avons ici un témoignage sur le baptême des enfants. On remarquera que ce sont les parents eux-mêmes qui répondent pour eux.

Hippolyte de Rome.

S(AE)

et deposuerunt ornamenta (κόσμησις) auri et argenti
quae habent super se, et nemo sumat rem (εἶδος) alienam
(ἀλλότριος) deorsum in aqua. Tempore autem statuto ad
baptizandum, episcopus reddat gratias (εὐχαριστεῖν) super
oleum quod ponit in vase (σκεῦος) et vocat illud oleum
gratiarum actionis (εὐχαριστία). Et sumit quoque aliud
oleum quod exorcizet (ἐξορκίζειν) et vocat illud oleum
exorcismi (ἐξορκισμός). Diaconus autem fert oleum exorcismi (ἐξορκισμός) et se sistit ad sinistram presbyteri, et
alius diaconus sumit oleum gratiarum actionis (εὐχαριστία)
et se sistit ad dexteram presbyteri. Et cum presbyter
sumpsit unumquemque recipientium baptismum, iubeat
eum renuntiare (ἀποτάσσεσθαι) dicens : Renuntio (ἀποτάσσεσθαι) tibi, Satana, et omni servitio tuo et omnibus operibus tuis. Et cum renuntiavit (ἀποτάσσεσθαι) unusquisque,
ungat eum oleo exorcismi (ἐξορκισμός) dicens ei : Omnis
spiritus abscedat a te. Et hoc modo tradat eum episcopo
nudum vel presbytero qui stat ad aquam qui (quae ?)
baptizat.

et après avoir déposé les bijoux d'or [1] qu'elles ont sur elles. Que personne ne prenne avec soi d'objet étranger (pour descendre) dans l'eau.

Au moment fixé pour le baptême, l'évêque rendra grâces sur de l'huile qu'il mettra dans un vase : on l'appelle huile d'action de grâces [2]. Il prendra aussi une autre huile qu'il exorcisera : on l'appelle huile d'exorcisme. Un diacre prend l'huile d'exorcisme et se place à gauche du prêtre, et un autre diacre prend l'huile d'action de grâces et se place à droite du prêtre. Le prêtre, prenant chacun de ceux qui reçoivent le baptême, lui ordonnera de renoncer [3] en disant : Je renonce à toi, Satan, et à toute ta pompe et à toutes tes œuvres. Après que chacun a renoncé, il (le prêtre) l'oint avec l'huile en disant : Que tout esprit mauvais s'éloigne de toi. De cette manière il le confiera nu à l'évêque ou au prêtre qui se trouve près de l'eau pour baptiser.

---

1. Les mots *et argenti* de S sont omis par tous les autres témoins, AETK.

2. C'est la première fois qu'on voit apparaître en Occident la distinction entre deux huiles, l'une destinée à l'onction prébaptismale, l'autre à l'onction postbaptismale. Tertullien ne connaît pas la première onction qui est attestée très tôt en Orient.

3. TK prescrivent que le candidat se tourne vers l'occident pour la renonciation et vers l'orient pour la profession de foi. SAE ne connaissent ni l'un ni l'autre geste. Quant à la formule de renonciation, le texte de SA est confirmé par TK contre E qui remplace *omni servitio tuo* par *omnibus angelis tuis*. Le mot grec répondant à *servitium* est probablement πομπή, plutôt que λατρεία.

T

S(AE)

Descendat autem cum eo diaconus hoc modo. Cum ergo descendit qui baptizatur in aquam, dicat ei ille qui baptizat manum imponens super eum sic : Credis in deum patrem omnipotentem ?

Et qui baptizatur etiam dicat : Credo. Et statim

L

manum habens in caput eius inpositam baptizet semel. Et postea dicat : Credis in Chr(istu)m Ie(su)m filium d(e)i, qui natus est de sp(irit)u s(an)c(t)o ex Maria uirgine et crucifixus sub Pontio Pilato et mortuus est [et sepultus] et resurrexit die tertia uiuus a mortuis

Similiter (ὁμοίως) autem diaconus descendat cum eo in aquam et dicat ei adiuvans eum ut dicat : Credo (πιστεύειν) in unum deum patrem omnipotentem (παντοκράτωρ) [et in unigenitum filium Iesum Christum dominum nostrum, et in spiritum sanctum vivificantem omnia, trinitatem consubstantialem, unam deitatem, unam dominationem, unum regnum, unam fidem, unum baptisma in sancta catholica et apostolica ecclesia, unam vitam aeternam. Amen.] Et qui accipit dicat etiam secundum haec omnia : Credo (πιστεύειν) hoc modo : Et qui

dat ponat manum suam super caput recipientis et mergit eum ter dum confitetur (ὁμολογεῖν) hoc unaquaque vice. Et postea iterum dicat ei : Credis in dominum nostrum Iesum Christum unicum filium dei patris, qui homo factus est per miraculum pro nobis in incomprehensibili unitate in spiritu sancto in sancta Maria virgine sine semine viri et qui crucifixus est pro nobis sub Pontio Pilato, mortuus est voluntarie pro nobis, tertia die resurrexit, liberavit qui ligabantur,

Un diacre descendra avec lui de cette manière [1]. Lorsque celui qui est baptisé sera descendu dans l'eau, celui qui baptise lui dira, en lui imposant la main : Crois-tu en Dieu le Père tout-puissant ?

Et celui qui est baptisé dira à son tour : Je crois. Et aussitôt (celui qui baptise), tenant la main posée sur sa tête, le baptisera une fois. Et ensuite il dira : Crois-tu [2] au Christ-Jésus, Fils de Dieu, qui est né par le Saint-Esprit de la vierge Marie, a été crucifié sous Ponce Pilate, est mort, est ressucité le troisième jour vivant d'entre les morts,

1. Le texte de SAE a été ici profondément altéré par l'insertion d'une longue formule de symbole. Le début peut être établi par la concordance de TK, confirmée pour la suite par L.

2. La partie christologique du symbole baptismal de L est confirmée par TK, à l'exception de *et sepultus* qui manque aussi dans SAE.

L

et ascendit in caelis et
sedit ad dexteram patris
uenturus iudicare uiuos
et mortuos ? Et cum ille
dixerit : Credo, iterum
baptizetur. Et iterum di-
cat : Credis in sp(irit)u
s(an)c(t)o et sanctam ec-
clesiam et carnis resur-
rectionem ?

S(AE)

ascendit in caelos, sedit
ad dexteram patris boni
in excelsis, et veniet iudicare iterum vivos et
mortuos secundum suam
revelationem et regnum
suum. Et credis in sanc-
tum, bonum et vivifican-
tem spiritum purificantem
universa in sancta ec-
clesia ?

Dicat ergo qui baptizatur :
Credo.
Et sic tertia uice bapti-
zetur.
Et postea cum ascenderit,
ungueatur a praesbytero
de illo oleo quod sancti-
ficatum est dicente : Un-
gueo te oleo sancto in
nomine Ie(s)u Chr(ist)i. Et
ita singuli detergentes se
induantur et postea in
ecclesia ingrediantur.

B(AE)

Et iterum (πάλιν) dicat :
Credo.

Et ascendat ex aqua et
ungat eum presbyter oleo
gratiarum actionis (εὐχα-
ριστία) dicens : Ungo te
oleo sancto, in nomine
Iesu Christi. Hoc modo
ceteros per unum ungat
et vestiat hoc modo cete-
ros, et ingrediantur ecclesiam (ἐκκλησία).

est monté aux cieux et est assis à la droite du Père ;
qui viendra juger les vivants et les morts ? Et quand il
aura dit : Je crois, il sera baptisé une deuxième fois. De
nouveau il (celui qui baptise) dira : Crois-tu en l'Esprit-
Saint dans la sainte Église [1] ?

Celui qui est baptisé dira : Je crois, et ainsi il sera
baptisé une troisième fois.

Ensuite, quand il sera remonté, il sera oint par le prêtre
de l'huile d'action de grâces avec ces mots : Je t'oins
d'huile sainte au nom de Jésus-Christ. Et ainsi, chacun
après s'être essuyé se rhabillera et ensuite ils entreront
dans l'église.

---

1. Le texte de L doit être ici corrigé de deux manières. La sainte Église
n'est pas un article de foi. Il faut comprendre : au Saint-Esprit (qui est)
dans la Sainte Église, avec P. NAUTIN, *Je crois à l'Esprit Saint dans la sainte
Église pour la résurrection de la chair*, Paris 1947, ou bien, voir dans ces mots
la conclusion de tout le symbole : je crois... dans la sainte Église. En outre
carnis resurrectionem omis par TKSA est une interpolation, cf. B. BOTTE,
« Note sur le symbole baptismal de saint Hippolyte », dans *Mélanges J. de
Ghellinck*, Gembloux 1951, p. 189-200.

L	B(AE)
Episcopus uero manu(m) illis inponens inuocet dicens : D(omi)ne D(eu)s, qui dignos fecisti eos remissionem mereri peccatorum per lauacrum regenerationis sp(irit)u⟨s⟩ s(an)c(t)i, inmitte in eos tuam gratiam, ut tibi seruiant secundum uoluntatem tuam ; quoniam tibi est gloria, patri et filio cum sp(irit)u s(an)c(t)o, in sancta ecclesia, et nunc et in saecula saeculorum. Amen.	Episcopus imponat manum suam super eos in magno desiderio dicens : Domine deus, sicut fecisti illos dignos accipere remissionem peccatorum in saeculum venturum, fac eos dignos ut repleantur spiritu sancto et mitte super eos gratiam tuam ut (ἵνα) tibi serviant secundum voluntatem tuam ; quoniam tibi gloria patri et filio cum spiritu sancto, in sancta ecclesia, nunc et semper et in saecula saeculorum.
Postea oleum sanctificatum infunde⟨n⟩s de manu et inponens in capite dicat : Ungueo te s(an)c(t)o oleo in d(omi)no patre omnipotente et Chr(ist)o Ie(s)u et sp(irit)u s(an)c-(t)o.	Et effundit oleum gratiarum actionis (εὐχαριστία) super manum suam et ponit manum super caput eius dicens : Ungo te oleo sancto in deo patre omnipotenti (παντοκράτωρ) et Iesu Christo et spiritu sancto.

L'évêque en leur imposant la main dira l'invocation : Seigneur Dieu, qui les a rendus dignes d'obtenir la rémission des péchés par le bain de la régénération, rends-les dignes d'être remplis[1] de l'Esprit-Saint et envoie sur eux ta grâce, afin qu'ils te servent suivant ta volonté ; car à toi est la gloire, Père et Fils avec l'Esprit-Saint, dans la sainte Église, maintenant et dans les siècles des siècles. Amen.

Ensuite, en répandant de l'huile d'action de grâces de sa main[2] et en posant (celle-ci) sur la tête, il dira : Je t'oins d'huile sainte en Dieu le Père tout-puissant et dans le Christ Jésus et dans l'Esprit-Saint.

1. Le texte de L doit être corrigé ici d'après l'accord des autres témoins. L'omission des mots « rends-les dignes... » est due probablement à un accident graphique dans le modèle grec du traducteur.

2. L'onction de la tête faite ici par l'évêque complète celle qui a été faite par le prêtre immédiatement après le baptême. Cette double onction post-baptismale est propre au rite romain.

L

Et consignans in frontem
offerat osculum et dicat :
D(omi)n(u)s tecum. Et ille
qui signatus est dicat :
Et cum sp(irit)u tuo. Ita
singulis faciat. Et postea
iam simul cum omni po-
pulo orent, non primum
orantes cum fidelibus nisi
omnia haec fuerint conse-
cuti. Et cum orauerint,
de ore pacem offerant.

Et tunc iam offeratur
oblatio a diaconibus episcopo et gratias agat panem
quidem in exe(m)plum,
quod dicit gr⟨a⟩ecus antitypum, corporis Chr(ist)i ;
calicem uino mixtum
propter antitypum, quod
dicit graecus similitudi-
nem, sanguinis quod effu-
sum est pro omnibus qui
crediderunt in eum ;

B(AE)

Et consignabit (σφραγίζειν)
in fronte eius et dabit osculum et dicet : Dominus
tecum. Et ille qui signa-
tus est (σφραγίζειν) dicet :
Et cum spiritu tuo. Ita
facient singuli. Et populus
(λαός) omnis oret simul et
incipient qui acceperunt
baptisma omnes orare.
⟨Et non orent cum fideli-
bus nisi postquam fecerint
opus quod memoravimus.
Et cum oraverint,⟩ dicant
pacem ore.

Diaconi autem offerent
oblationem (προσφορά) episcopo, et ille gratias agat
super panem quia forma
est carnis (σάρξ) Christi, et
calicem vini quia est sanguis Christi qui effusus
est pro omnibus qui cre-
dunt in eum ;

Et après l'avoir signé au front, il lui donnera le baiser et dira : le Seigneur (soit) avec toi. Et celui qui a été signé dira : Et avec ton esprit. Il (l'évêque) fera ainsi pour chacun.

Et ensuite ils prieront désormais ensemble avec tout le peuple ; car ils ne prient pas avec les fidèles avant d'avoir obtenu tout cela. Et quand ils auront prié, ils donneront le baiser de paix.

Alors l'oblation [1] sera présentée par les diacres à l'évêque et il rendra grâces [2], sur le pain pour (qu'il soit) le symbole du corps du Christ, sur le calice de vin mélangé, pour (qu'il soit) l'image du sang qui a été répandu pour tous ceux qui croient en lui ;

1. L'eucharistie est la dernière étape de l'initiation. L'auteur ne signale ici que ce qui est propre à l'eucharistie baptismale. Il a donné la prière d'action de grâces à propos du sacre épiscopal, cf. 4.

2. Il semble que le texte grec employait le verbe εὐχαριστέω dans le sens transitif : « eucharistier le pain... ».

L

lac et melle mixta simul
ad plenitudinem promis-
sionis quae ad patres fuit,
qua[m] dixit terram fluentem lac et mel,

qua[m] et dedit carnem
suam Chr(istu)s, per quam
sicut paruuli nutriuntur
qui credunt, in suauitate
uerbi amara cordis dulcia
efficiens ;

aquam uero in oblatio-
nem in indicium lauacri,
ut et interior homo, quod
est animale, similia con-
sequa[n]tur sicut et cor-
pus.
De uniuersis uero his ra-
tionem reddat episcopus
eis qui percipiunt. Fran-
gens autem panem, sin-
gulas partes porrigens dicat : Panis caelestis in
Chr(ist)o Ie(s)u. Qui au-
tem accipit respondeat :
Amen. Praesbyteri uero
si non fuerint sufficientes,
teneant calices et dia-
cones, et cum honestate
adstent et cum modera-
tione : primus qui tenet
aquam, secundus qui lac,
tertius qui uinum.

B(AE)

lac et mel mixta ad im-
pletionem promissionum
quae ad patres fuerunt ;
dixit : Dabo vobis terram
fluentem lac et mel.

S(AE)

Haec est caro (σάρξ) Christi
quam dedit nobis ut nu-
triantur ex ea sicut par-
vuli qui credunt in eum,
et amara cordis solvat
dulcedo verbi ;

E

et aqua oblationis (est)
indicium panis, ut inte-
rior homo, qui est anima-
tus, ⟨consequatur⟩ sicut
qui est corporalis.

S(AE)

De his ergo omnibus red-
dat rationem (λόγος) epi-
scopus eis qui accipient
baptismum. Cum ergo
episcopus fregit panem,
det partem (κλάσμα) ex eo
singulis dicens : Hic est
panis caelestis, corpus (σῶμα) Christi Iesu. Qui au-
tem accipit respondeat :
Amen. Si autem presbyteri
non sufficiunt, diaconi teneant calicem (ποτήριον), et
stent in ordine (εὐταξία) :
⟨primus qui aquam (te-
net), secundus qui lac, et
tertius qui vinum⟩.

sur le lait et le miel mélangés, pour (indiquer) l'accomplissement de la promesse faite à (nos) pères, dans laquelle il a parlé de la terre où coulent le lait et le miel, dans laquelle aussi le Christ a donné sa chair, dont, comme de petits enfants, se nourrissent les croyants, lui qui, par la douceur de la parole, rend douce l'amertume du cœur ;

sur l'eau (présentée) en offrande pour signifier le bain, afin que l'homme intérieur, c'est-à-dire l'âme [1], obtienne les mêmes effets que le corps.

De toutes ces choses l'évêque rendra compte à ceux qui reçoivent la (communion) [2]. Quand il a rompu le pain, en présentant chaque morceau, il dira : Le pain du ciel dans le Christ Jésus [3]. Celui qui reçoit répondra : Amen. Si les prêtres ne suffisent pas, des diacres aussi tiendront les calices, et ils se tiendront en bon ordre : le premier celui qui tient l'eau, le deuxième celui qui (tient) le lait, le troisième celui qui (tient) le vin.

1. La leçon de L, *quod est animale* suppose le grec τὸ ψυχικόν.
2. La leçon de L (*percipiunt* sans complément) est soutenue par K, tandis que S a compris qu'il s'agissait de recevoir le baptême. Le contexte indique d'ailleurs qu'il s'agit d'une catéchèse eucharistique.
3. Ce passage de L, qui manque dans S, est soutenu par E ; la leçon *panis* dans E au lieu de *lavacri* provient de la confusion entre deux mots éthiopiens assez semblables.

L

Et gustent qui percipient de singulis ter dicente eo qui dat : In d(e)o patre omnipotenti. Dicat autem qui accipit : Amen. Et d(omi)no Ie(s)u Chr(ist)o. Et sp(irit)u s(an)c(t)o et sancta ecclesia. Et dicat : Amen. Ita singulis fiat. Cum uero haec fuerint, festinet unusquisque operam bonam facere...

S(AE)

Et dabit illis sanguinem Christi Iesu domini nostri, et ille lac, et ille mel. Dicat qui dat calicem (ποτήριον) : Hic est sanguis domini nostri Iesu Christi. Et qui accipit respondeat : Amen. Haec autem cum facta sunt, sollicitus sit (σπουδάζειν) unusquisque facere omnem rem bonam

S(AE)

et placere deo et conversari (πολιτεύεσθαι) recte, vacans ecclesiae, faciens quae didicit et proficiens (προκόπτειν) in pietate.

Haec autem tradidimus vobis in brevi de baptismo sancto et oblatione (προσφορά) sancta, quia (ἐπειδή) iam instructi estis (κατηχεῖσθαι) de resurrectione carnis (σάρξ) et de ceteris sicut scriptum est. Si autem aliquid decet memorari, episcopus dicat eis qui acceperunt baptismum in quiete. Ne autem infideles (ἄπιστος) cognoscant nisi acceperint baptismum primum. Hic est calculus (ψῆφος) albus quem Ioannes dixit : Nomen novum scriptum est in eo, quod nemo novit nisi qui accipiet calculum (ψῆφος).

Ceux qui reçoivent (la communion) goûteront de chacun (des calices) [1], tandis que, (à chacune des) trois fois, celui qui donne dira : En Dieu le Père tout-puissant. Et celui qui reçoit dira : Amen. — Et en le Seigneur Jésus-Christ. ⟨Et il dira : Amen.⟩ [2] — Et en l'Esprit-Saint et la sainte Église. Et il dira : Amen. On fera ainsi pour chacun (des communiants). Quand ce sera terminé, chacun s'appliquera à faire des bonnes œuvres,

à plaire à Dieu et à se bien conduire, à être zélé pour l'Église, faisant ce qu'il a appris et progressant dans la piété.

Nous vous avons transmis ces choses brièvement sur le saint baptême et la sainte oblation, car vous avez déjà été instruits de la résurrection de la chair et des autres (enseignements) selon ce qui est écrit. Mais s'il convient de rappeler quelque autre chose, l'évêque le dira sous le (sceau du) secret à ceux qui ont reçu (l'eucharistie). Que les infidèles n'en aient pas connaissance si ce n'est quand ils auront reçu (l'eucharistie). C'est le caillou blanc dont Jean a dit : Un nom nouveau y est écrit, que personne ne connaît sinon celui qui recevra le caillou (*Apoc.* 2, 7).

---

1. Le texte de SA est ici fautif. L est soutenu par une variante de E.

2. Il y a probablement ici une omission accidentelle. Il serait étonnant que le communiant ne réponde pas trois fois : Amen.

22. (De communione)

E

Sabbato et prima sabbati episcopus, si potest, manu sua, dum diaconi frangunt, omni populo distribuet ipse, et presbyteri coctum panem frangent. Cum diaconus ad presbyterum affert, porriget vestem suam, et ipse presbyter sumet, et populo manu sua distribuet. Ceteris diebus recipient secundum mandatum episcopi.

K

Die prima sabbati in hora oblationis, si potest, episcopus communicet omnem populum sua manu. Et si presbyter aegrotat, offerat illi diaconus mysterium et presbyter sumat sibi solus.

23. De ieiunio (νηστεία)

Ep.

(Vind. gr. 7 ; Funk II, 112)

Χῆραι καὶ παρθένοι πολλάκις νηστευέτωσαν καὶ εὐχέσθωσαν ὑπὲρ τῆς ἐκκλησίας. Πρεσβύτεροι, ἐπὰν βούλοιντο, καὶ λαϊκοὶ ὁμοίως νηστευέτωσαν. Ἐπίσκοπος οὐ δύναται νηστεύειν, ἐὰν μὴ ὅτε καὶ πᾶς ὁ λαός. Ἔσθ' ὅτε γὰρ θέλει τις προσενεγκεῖν, καὶ ἀρνήσασθαι οὐ δύναται· κλάσας δὲ πάντως γεύεται.

S(AE)

Viduae (χήρα) et virgines (παρθένος) ieiunent (νηστεύειν) saepe et orent in ecclesia. Presbyteri similiter (ὁμοίως) et laici (λαϊκός) tempore quo volunt ieiunent (νηστεύειν). Non potest autem episcopus ieiunare (νηστεύειν) nisi in die quo populus (λαός) omnis ieiunabit (νηστεύειν). Fiet enim ut quis velit afferre aliquid in ecclesiam et non potest recusare (ἀρνεῖσθαι). Si autem frangit panem, gustabit omnimo (πάντως panem.

22. (De la communion) [1]

Le dimanche [2] l'évêque, si possible, distribuera (la communion) de sa main à tout le peuple, tandis que les diacres font la fraction ; les prêtres rompront également le pain. Quand le diacre apporte (l'eucharistie) au prêtre, il présentera le plateau [3] et le prêtre prendra lui-même et il (le prêtre) distribuera au peuple de sa main. Les autres jours on communiera suivant les instructions de l'évêque.

23. Du jeûne

Les veuves et les vierges jeûneront souvent et prieront pour l'Église. Les prêtres jeûneront quand ils le veulent, et de même les laïcs. L'évêque ne peut jeûner que les jours où tout le peuple (jeûne). Il arrive en effet que quelqu'un veut faire une offrande, et il (l'évêque) ne peut refuser ; or quand il a fait la fraction, il goûte en tout cas (au repas).

---

1. Avec ce chapitre commence la troisième partie, qui a beaucoup moins d'unité que les deux premières et dans laquelle apparaît un certain désordre. Le texte est omis par SA, mais il est conservé par E, soutenu par TK.

2. La mention du sabbat dans E, seul témoin direct, n'est certainement pas originale. Il faut corriger ici d'après K.

3. La leçon de E (*vestem suam*) provient sans doute d'une mauvaise interprétation de l'arabe. La correction adoptée vient de T qui a *patenam vel pyxidem*. Le mot grec qui a provoqué la confusion est probablement λέξης, transcrit en arabe *lbs* et pris par le traducteur éthiopien pour un mot arabe signifiant vêtement.

Hippolyte de Rome. 7

24. De donis ad infirmos

E

Diaconus in necessitate dabit signum infirmis cum sollicitudine si non adest presbyter, et cum dederit quantum necesse est, sicut acceperit quod distribuitur, gratias aget, et consument ibi.

Ut (qui) accipiunt ministrent sollicite. [Dabit eulogiam]. Si quis accepit ut ferat viduae et infirmo et ei qui operam dat ecclesiae, in die ferat. Et si non tulit, sequenti die, augendo de suo, quod erat, ferat, quia mansit apud eum panis pauperum.

T

Diaconus non praesente presbytero baptizet.

Si accipit aliquis ministerium aliquod ut ferat viduae vel alicui qui negotiis ecclesiasticis vacat et officiis, ipso die dabit ; si autem non, die postero addet aliquid super illud ex suis et sic dabit. Moratus est enim apud eum panis pauperis.

24. Des dons aux malades [1]

Le diaore, en (cas de) nécessité donnera le signe (?) aux malades, avec zèle, s'il n'y a pas de prêtre Et quand il aura donné tout ce qu'il faut, suivant qu'il aura reçu ce qu'on distribue, il rendra grâces, et ils consommeront là.

Que ceux (qui) reçoivent(les dons) servent avec zèle [2]. Si quelqu'un a reçu (des dons) à porter à une veuve, à un malade ou à quelqu'un qui s'occupe des affaires de l'Église, il (les) portera le jour même. S'il ne (les) a pas portés, il (les) portera le lendemain en ajoutant de son propre (bien) à ce qu'il y avait ; car le pain des pauvres est resté chez lui.

---

1. Le texte de ce chapitre est très obscur. On ne voit pas ce que peut signifier ici *signum*. Une variante du texte éthiopien donne *dabit attentionem*. Plus loin *dabit eulogiam* est probablement un essai de correction qui a été mal placé par un copiste. T a compris qu'il s'agissait du baptême, ce qui supposerait le mot σφραγίς ; mais ce mot n'apparaît nulle part dans le texte pour désigner le baptême. Cela ne convient d'ailleurs pas à la suite du texte.

2. Ces mots sont évidemment le titre d'une nouvelle section.

25. De introductione lucernae in cena communitatis

E

Cum episcopus adest, vespere facto, diaconus lucernam infert, et stans in medio omnium fidelium qui adsunt, reddet gratias. Primum salutabit dicens : Dominus vobiscum. Et populus dicet : Cum spiritu tuo. — Gratias agamus domino. Et dicent : Dignum et iustum est ; et magnitudo et elevatio cum gloria eum decent. Et sursum corda non dicet, quia in oblatione dicitur. Et orabit hoc modo dicens :

Gratias agimus tibi, Domine, per filium tuum Iesum Christum dominum nostrum, per quem illuminasti nos, revelans nobis lucem incorruptibilem. Cum perfecimus ergo longitudinem diei et pervenimus ad initium noctis, saturantes nos luce diei quam creasti ad satietatem nostram, et cum nunc non egemus luce vesperi per gratiam tuam, laudamus te et glorificamus te per filium tuum Iesum Christum dominum nostrum, per quem tibi gloria et potentia et honor cum sancto spiritu, et nunc et semper et in saeculum saeculi. Amen. Et dicent omnes : Amen.

Et surgent ergo post cenam orantes, pueri dicent psalmos, et virgines.

25. De l'introduction de la lampe au repas de la communauté [1]

Quand l'évêque est présent, le soir venu, le diacre apporte la lampe. Et debout au milieu de tous les fidèles présents, il rendra grâces. Il saluera tout d'abord en disant: Le Seigneur (soit) avec vous. Et le peuple dira : (Et) avec ton esprit. — Rendons grâces au Seigneur. Et on dira : C'est digne et juste ; la grandeur et l'élévation lui reviennent ainsi que la gloire. Il ne dira pas : En haut les cœurs, parce qu'on le dit à l'oblation. Et il priera de cette manière en disant :

Nous te rendons grâces, Seigneur, par ton Fils Jésus-Christ, Notre-Seigneur, par qui tu nous as éclairés en nous révélant la lumière incorruptible. Puisque nous avons passé la durée du jour et que nous sommes parvenus au début de la nuit, en nous rassasiant de la lumière du jour que tu as créée pour notre satisfaction, et puisque maintenant, par ta grâce, nous ne manquons pas de la lumière du soir, nous te louons et te glorifions par ton Fils Jésus-Christ, Notre-Seigneur, par qui à toi, gloire, puissance, honneur, avec le Saint-Esprit, maintenant et toujours et dans les siècles des siècles. Amen. Et tous diront : Amen.

Ils se lèveront [2] donc après le repas en priant. Les enfants diront des psaumes, de même les vierges.

---

1. Ce chapitre n'est conservé que par E, mais il en reste des traces dans CTK. Le texte en est très obscur par endroit. Cet usage de la bénédiction de la lampe est à l'origine du lucernaire qui deviendra un office liturgique.

2. Cette phrase semble bien ne pas se trouver à sa place. Il faut probablement la reporter à la fin du chapitre.

E

Et postea diaconus, mixtum calicem oblationis cum accipiet, dicet psalmum de illis in quibus scriptum est alleluia. Et postea presbyter si praecipit, etiam ex iisdem
psalmis. Et postea (quam) episcopus obtulit calicem, (eorum) qui conveniunt calici psalmum dicet, omnem cum
alleluia, dum dicent omnes. Cum recitabunt psalmos,
dicent omnes alleluia, quod dicitur : laudamus qui est
deus ; gloria et laus ei qui creavit omne saeculum per
verbum tantum. Et perfecto psalmo, benedicet calicem
et de fragmentis dabit omnibus fidelibus.

26. (De cena communi)

E[a]

Et cum cenant, qui adsunt
fideles sument de manu
episcopi paululum panis
antequam frangant pro-
prium panem, quia eulogia
est et non eucharistia
sicut caro domini.

S(AE[b])

Cum autem manducat
eum et alii fideles cum eo,
accipiant de manu epis-
copi fragmentum (χλάσμα)
panis unum, priusquam
unusquisque frangat pa-
nem qui est coram se.
Benedictio enim est et
non eucharistia sicut corpus (σῶμα) domini.

Ensuite, quand le diacre prendra le calice mélangé de l'oblation, il dira un psaume de ceux dans lesquels est écrit l'alléluia. Ensuite, si le prêtre l'ordonne, encore des mêmes psaumes. Après que l'évêque a offert le calice, il dira un des psaumes qui conviennent au calice, tous (ces psaumes étant) avec alléluia, tandis que tous disent : (Alléluia). Quand on récitera les psaumes, tous diront : Alléluia, c'est-à-dire : Nous louons Dieu « qui est » (*Ex.* 3, 4) ; gloire et louange à celui qui a créé le monde entier par sa seule parole. Le psaume terminé, il (l'évêque) bénira le calice et donnera des morceaux (de pain) à tous les fidèles.

26. (Du repas commun) [1]

Lors du repas, les fidèles présents recevront de la main de l'évêque un morceau de pain avant de rompre leur propre pain. Car c'est une eulogie et non une eucharistie, symbole [2] du corps du Seigneur.

---

1. Cette section (26-30) est consacrée aux repas de communauté. E contient une double rédaction de ce texte.

2. Pour comprendre ce que signifie *sicut caro* (*corpus*) *domini*, il faut se reporter au ch. 21 où le pain eucharistique est appelé ἀντίτυπος du corps du Christ. Cette terminologie n'exclut nullement le réalisme eucharistique. On la retrouve chez les Pères du IVᵉ siècle.

L

S(AE)

Omnes autem priusquam bibant, decet ut sumant calicem et gratias agant (εὐχαριστεῖν) super eum, et bibant et manducent in puritate hoc modo. Catechumenis vero detur panis exorcismi (ἐξορχισμός) et calix.

... qui praesentis* estis, et ita aepulamini. Catecuminis uero panis exorcizatus detur et calicem singuli offerant.

27. Quod non oportet ut catechumeni edant cum fidelibus

Catecuminus in cena dominica non concumbat. Per omnem uero oblationem memor sit qui offert eius qui illum uocauit ; proptera enim depraecatus est ut ingrediatur sub tecto eius.

Ne catechumeni accumbant in cena (δεῖπνον) domini cum fidelibus. Qui autem comedit faciat memoriam eius qui illum vocavit quotiescumque comeditur. Proptera enim deprecatus est eos ut ingrediantur sub tectum eius.

28. Quod oportet ut comedant cum disciplina (ἐπιστήμη) et sufficientia

Edentes uero et bibentes cum honestate id agite et non ad ebrietatem,

Edentes autem et bibentes cum honestate, ne bibatis ut ebrii sitis,

Il convient que tous, avant de boire, prennent une coupe et rendent grâces sur elle, puis ils boiront et mangeront ainsi en (toute) pureté. Aux catéchumènes on donnera un pain d'exorcisme [1], et chacun offrira une coupe.

27. Qu'il ne faut pas que les catéchumènes mangent avec les fidèles

Le catéchumène ne prendra pas place au repas du Seigneur. Au cours de tout repas, que celui qui se sert fasse mémoire de celui qui l'a invité ; car c'est pour cela qu'il l'a prié d'entrer sous son toit.

28. Qu'il faut manger avec discipline et en suffisance

Quand vous mangez et buvez, faites-le honnêtement et non jusqu'à l'ébriété,

---

1. Il ne s'agit pas ici des rites d'initiation mais d'un repas de communauté, et il n'y a aucune raison de mettre cet usage en rapport avec le sel donné aux catéchumènes lors de leur admission. Que ce pain exorcisé soit un pain salé est une fantaisie sans aucun fondement, voir B. Botte, « Sacramentum catechumenorum », dans *Quest. lit. par.* 43 (1963), 322-330.

L

et non ut aliquis inrideat,
aut tristetur, qui uocat
uos, in uestra inquietu-
dine, sed oret ut dignus
efficiatur ut ingrediantur
sancti ad eum. Uos enim,
inquit, estis sal terrae.
Si communiter uero omni-
bus oblctum fuerit quod
dicitur graece apoforetum,
accipite ab eo. Si autem
ut omnes gustent suffi-
cienter, gustate ut et su-
peret, et quibuscumque
uoluerit qui uocauit uos
mittat tamquam de reli-
quiis sanctorum et gau-
deat in fiducia.

Gustantes autem cum si-
lentio percipiant qui uo-
cati sunt, non conten-
dentes uerbis, sed qu⟨a⟩e
hortatus fuerit episcopus
et, si interrogauerit ali-
quit, respondeatur illi.

S(AE)

ita ut nemo irrideat vos
et ut non contristetur
(λυπεῖν), qui vocavit vos,
in vestra dissolutione, sed
ut oret ut sancti ingre-
diantur ad eum. Dixit
enim : Vos estis sal terrae.
Si dantur vobis partes
(μερίς) omnibus simul, ac-
cipies partem tuam tan-
tum. Si autem invitati
estis ut edatis, edetis ad
sufficientiam vestram, ut
quod supererit vobis, qui
vocavit te mittat ad eos
quos vult tamquam (ὡς)
reliquias sanctorum, et
gaudeat de adventu vestro
ad eum.

Cum autem edent qui vo-
cati sunt, edant autem in
silentio, non in conten-
tione ; sed si episcopus
permittit (ἐπιτρέπειν) alicui ut interroget de ali-
quo, respondeatur illi.

et afin qu'on ne se moque pas ou que celui qui vous invite ne soit pas attristé par votre turbulence ; mais pour qu'il souhaite être jugé digne que les saints entrent chez lui. Vous êtes, dit-il, le sel de la terre (*Matth.* 5, 13).

Si l'on offre à tous en commun un ἀποφόρητον [1], prenez-en. Mais si (c'est) pour que tous mangent d'une manière suffisante [2], mangez de telle manière qu'il en reste encore, et que celui qui vous a invités (en) envoie à qui il voudra comme des restes des saints et se réjouisse avec confiance.

Pendant le repas ceux qui sont invités mangeront en silence, sans querelle de mots, mais (ne disant) que ce que l'évêque permet [3] et s'il pose une question, on lui répondra.

---

1. On ne voit pas de mot français qui réponde exactement à ce terme. D'après le contexte, il y a distinction entre un vrai repas, où chacun peut manger à sa faim, et un repas à emporter par chacun des convives.

2. La place de *sufficienter* laisse le sens indécis. On peut le rattacher à ce qui précède ou à ce qui suit. S le rattache à ce qui suit, mais T confirme la place du mot dans L. Il faut donc juger d'après le contexte.

3. La traduction *hortatus fuerit* de L est une interprétation, fautive dans le contexte, du grec ἐπιτρέπω conservé par S.

L

Et cum **dixerit episcopus**
uerbum, omnes* cum mo-
destia laudans eum taceat,
quandiu iterum interro-
get. Etiamsi absque epis-
copo in cena adfuerint
fideles, praesente presbytero aut diacono similiter
honeste percipiant. Festinet autem omnis siue a
praesbytero siue a diacone
accipere benedictionem de
manu. Similiter et cate-
cuminus exorcizatum it
ipsut accipiat. Si laici
fuerint in unum, ᴄᴜm
moderatione agant. Laicus
enim benedictionem fa-
cere non potes⟨t⟩.

S(AE)

Et cum episcopus loqui-
tur, omnes taceant cum
moderatione donec inter-
roget eos iterum. Si autem
non est episcopus ibi, sed
fideles tantum, in cena
(δεῖπνον), accipiant eulogiam (εὐλογία) de manu
presbyteri, si adest. Si autem non adest, accipiant
de manu diaconi. Similiter
(ὁμοίως) catechumeni accipiant panem exorcismi
(ἐξορκισμός). Laici (λαϊκός)
autem qui sunt simul
sine clerico (κληρικός) comedant cum disciplina
(ἐπιστήμη). Laicus (λαϊκός)
enim non potest dare eu-
logiam (εὐλογία).

29. Quod oportet comedere cum gratiarum actione

L

Unusquisque in nomine
d(omi)ni edat. Hoc eni(m)
d(e)o placet, ut aemu-
latores etiam aput gentes
simus, omnes similes et
sobrii.

S(E)

Unusquisque comedat
cum gratiarum actione in
nomine dei. Hoc enim de-
cet (πρέπειν) pietatem ut
simus omnes sobrii (νήφειν)
et gentes (ἔθνος) aemulen-
tur nos.

Et quand l'évêque prend la parole, que chacun se taise avec modestie en l'approuvant [1], jusqu'à ce qu'il pose de nouveau une question. Et si, en l'absence de l'évêque, les fidèles assistent au repas en présence d'un prêtre ou d'un diacre, ils mangeront de même honnêtement. Et chacun s'empressera de recevoir l'eulogie de la main du prêtre ou du diacre. De même le catéchumène recevra un (pain) d'exorcisme. Si des laïcs sont réunis (seuls), ils agiront avec discipline ; car un laïc ne peut faire l'eulogie.

29. Qu'il faut manger avec action de grâces

Chacun mangera au nom du Seigneur ; car ce qui plaît à Dieu, c'est que nous montrions de l'émulation [2], même à l'égard des nations, en étant tous unis [3] et sobres.

1. Les mots *laudans eum* omis par SAE sont confirmés par T.

2. La leçon *aemulatores* (ζηλωταί) est confirmée par T, tandis que SK ont lu ζηλωτοί.

3. A la place de *similes* dans L, omis par S, il y a dans E un mot qui signifie unis. Je soupçonne ὁμόνοοι, lu ὅμοιοι par L.

L   S(AE)

30. De cena (δεῖπνον) viduarum (χήρα)

Uiduas, si quando quis uult ut aepulentur, iam maturas aetate, dimittat eas ante uesperam. Si autem no(n) potest propter clerum quem sortitus est, escas et uinum dans eis dimittat illas et aput semet ipsas, quomodo illis placet, de re sumescant.

Si quis vult aliquando invitare viduas (χήρα) omnis qui vetus est (sic), nutriat eas et dimittat priusquam vespere fiat. Et si non possunt propter clerum (κλῆρος) quem sortitae sunt (κληροῦν), det eis vinum et cibum et comedant in domibus suis quomodo volunt.

31. De fructibus (καρπός) quos oportet offerre (προσφέρειν) episcopo

Fructus natos primum quam incipiant eos omnes festinent offerre episcopo ; qui autem offerit benedicat et nominet eum qui optulit dicens :

Omnes solliciti sint (σπου-δάζειν) offerre episcopo in tempore omni primitias (ἀπαρχή) fructuum (καρπός) prima germina (γέν-νημα). Episcopus autem accipiat cum gratiarum actione et benedicat eos et nominet (ὀνομάζειν) nomen eius qui obtulit eos ad se.

30. Du repas des veuves

Si quelqu'un invite des veuves à un repas, (qu'elles soient) déjà d'âge mûr, (et) qu'il les renvoie avant le soir. S'il ne peut (les recevoir) à cause de la charge [1] qu'il a reçue, après leur avoir donné de la nourriture et du vin, il les renverra, et elles en prendront chez elles comme il leur plaît.

31. Des fruits qu'il faut offrir à l'évêque

Tous s'empresseront d'offrir à l'évêque, comme prémices [2] des fruits, les premières récoltes. Celui-ci, en (les) offrant [3], (les) bénira et il nommera celui qui (les) a offerts, en disant :

---

1. Il faut préférer L (*sortitus est*) à S (*sortitae sunt*), *clerus* (χλῆρος) désignant une charge ecclésiastique.
2. L est rendu incompréhensible à cause d'une confusion entre ἀπαρχή (prémices) et ἀπ' ἀρχῆς (depuis le commencement).
3. *Qui autem offerit* répond probablement à une proposition participiale : ὁ δὲ προσφέρων, se rapportant à l'évêque.

L

Gratias tibi agimus, d(eu)s, et offerimus tibi primitiuas fructuum, quos dedisti nobis ad percipiendum, per uerbum tuum enutriens ea, iubens terrae omnes fructus adferre ad laetitiam et nutrimentum hominum et omnibus animalibus. Super his omnibus laudamus te, d(eu)s, et in omnibus quibus nos iubasti*, adornans nobis omnem creaturam uariis fructibus, per puerum tuum Ie(su)m Chr(istu)m dom(inum) nostrum, per quem tibi gloria in saecula saeculorum. Amen.

Barberini gr. 336

Εὐχαριστοῦμέν σοι, κύριε ὁ θεός, καὶ προσφέρομεν ἀπαρχὴν καρπῶν οὓς ἔδωκας ἡμῖν εἰς μετάληψιν τελεσφορῆσαι διὰ τοῦ λόγου σου καὶ κελεύσας καρποὺς παντοδαποὺς εἰς εὐφροσύνην καὶ τροφὴν τοῖς ἀνθρώποις καὶ παντὶ ζῴῳ. Ἐν πᾶσιν ὑμνοῦμέν σε, ὁ θεός, ἐπὶ πᾶσιν οἷς εὐηργέτησας ἡμῖν πᾶσαν κτίσιν πηλίκοις καρποῖς, διὰ τοῦ παιδός σου Ἰησοῦ Χριστοῦ τοῦ κυρίου ἡμῶν, δι' οὗ καὶ σοὶ ἡ δόξα εἰς τοὺς αἰῶνας τῶν αἰώνων. Ἀμήν.

Nous[1] te rendons grâces, ô Dieu, et nous t'offrons les prémices des fruits que tu nous as donnés pour que nous en prenions, après les avoir menés à maturité par ta parole, après avoir ordonné à la terre de produire des fruits de toute sorte pour la joie et la nourriture du genre humain[2] et de tous les animaux. Pour tout cela nous te louons, ô Dieu, et pour tous les bienfaits que tu nous as accordés en ornant toute la création de fruits variés, par ton Enfant Jésus-Christ Notre-Seigneur, par qui gloire à toi dans les siècles des siècles. Amen.

1. Le texte grec de cette bénédiction a été conservé par le plus ancien eucologe grec (*Barberini* 336) mais dans un état très défectueux. Les versions permettent de le corriger.

2. La leçon « genre » (γένος) est gardée par S, et il est probable qu'il y avait dans L *generi hominum*.

Hippolyte de Rome. 8

L   S(AE)

32. Benedictio (εὐλογία) fructuum (καρπός)

L	S(AE)
Benedicuntur quidem fructus, id est uua, ficus, mala grania, oliua, pyrus, malum, sycaminum, persicum, ceraseum, amygdalum, damascena, non pepon, non melopepon, non cucumeres, non cepa, non aleus, nec aliut de aliis oleribus. Sed et aliquotiens et flores offeruntur. Offeratur ergo rosa et lilium, et alia uero non. In omnibus autem quae percipiuntu⟨r⟩, s(an)c(t)o d(e)o gratias agant in gloriam eius percipientes.	Hi sunt fructus (χαρπός) qui benedicuntur : uva, ficus, mala grania, oliva, pyrus (ἀπίδιον), malum, persicum (περσιχόν), cerasium (χεράσιον), amygdalum (ἀμύγδαλον) ; non autem benedicuntur sycaminum, nec onio, nec allium, nec pepon (πέπων), nec melopepon (μηλοπέπων), nec cucumeres, nec aliud de oleribus (λάχανον). Si autem offeruntur (προσφέρειν) flores (ἄνθος), offerantur rosae et lilia (χρίνον), alia autem non offerantur. In omnibus autem quae comeduntur, gratias agant de eo deo et gustent ex eis glorificantes eum.

33. Quod non oportet ut quis gustet aliquid in pascha ante horam qua convenit comedere

L	S(AE)
Nemo in pascha, antequam oblatio fiat, percipiat. Nam qui ita agit, non illi inputatur ieiunium. Si quis autem in utero habet et aegrotat et non potest duas dies ieiunari, in sabbato ieiunet propter necessitatem, contenens panem et aquam.	Non imputabitur ieiunium (νηστεία) ad huiusmodi qui avidus est ante horam qua finitur ieiunium (νηστεία). Si quis autem aegrotat et non potest ieiunare (νηστεύειν) duos dies, ieiunet (νηστεύειν) die sabbati propter necessitatem (ἀνάγκη). Sufficiat autem ei panis et aqua.

32. Bénédiction des fruits

On bénit les fruits, c'est-à-dire : raisin, figue, grenade, olive, poire, pomme, mûre, pêche, cerise, amande, prune ; pas la pastèque, ni le melon, ni le concombre, ni le champignon, ni l'ail, ni aucun autre légume. Mais on offre aussi parfois des fleurs. On offrira la rose et le lys, mais pas d'autres. En tout ce qu'on prend, on rendra grâces au Dieu saint, en en prenant pour sa gloire.

33. Qu'il ne faut rien prendre à Pâques avant l'heure où on peut manger

Personne ne prendra rien à Pâques avant qu'on ait fait l'oblation ; car à qui agit ainsi cela ne sera pas compté comme jeûne. Si une femme est enceinte et (si quelqu'un) [1] est malade et ne peut jeûner deux jours, il jeûnera le samedi (seulement) par nécessité, se contentant de pain et d'eau.

---

1. La leçon de L *in utero habet* est confirmée par E contre SA ; mais il faut sans doute distinguer la femme enceinte de celui qui est malade.

L

Si quis ucro in nauigio uel
in aliqua necessitate cons-
titutus ignorauit diem,
hic cum dedicerit* hoc,
post quinquagesimam red-
dat iciunium. Typus enim
transiit, quapropter se-
cundo mense cessauit, et
debet quis facere ieiunium
cum ueritatem dedicerit.

S(AE)

E si quis in navigio est
aut ignoravit diem pas-
chae, det ieiunium (νη-
στεία) post quinquagesi-
mam (πεντηκοστή). Non est
enim pascha quod custo-
dimus ⟨typus⟩; typus (τύ-
πος) enim iam transiit,
quapropter non dicimus
in mense secundo; sed
cum veritatem didicerit,
incipiet ieiunium (νηστεία).

34. Quod oportet diaconos ad episcopum instare
(προσκαρτερεῖν)

Diaconus uero unusquis-
que cum subdiac⟨o⟩nibus
ad episcopum obseruent.
Suggeretur etiam illi qui
infirmantur, ut, si pla-
cuerit episcopo, uisitet eos.
Ualde enim oblectatur in-
firmus cum memor eius
fuerit princeps sacerdo-
tum.

Unusquisque diaconorum
cum subdiaconis instent
(προσκαρτερεῖν) ad episcopum et moneant eum quis
infirmus sit, ut, si placuerit (δοκεῖν) episcopo, visi-
tet infirmos. Infirmi enim
consolantur cum vident
summum sacerdotem (ἀρ-
χιερεύς) visitare eos et re-
cordari eorum.

Si quelqu'un, se trouvant en mer ou en (cas de) nécessité, a ignoré le jour (de Pâques), quand il l'aura appris, il s'acquittera du jeûne après la cinquantaine (pascale). Car la Pâque que nous célébrons n'est pas la figure [1] — la figure en effet est passée, c'est pourquoi elle a cessé au deuxième mois — et il faut jeûner quand on a appris la vérité.

34. Que les diacres doivent être assidus auprès de l'évêque

Chaque diacre, avec les sous-diacres, sera assidu auprès de l'évêque. On lui indiquera aussi ceux qui sont malades, afin que, s'il plaît à l'évêque, il leur rende visite. C'est en effet un grand réconfort pour un malade que le grand-prêtre [2] se souvienne de lui.

---

1. L'archétype commun paraît avoir été corrompu par l'omission du mot τύπος qui était répété. L est évidemment incomplet, mais le texte de S est inacceptable. Il est impossible qu'un chrétien déclare qu'il ne célèbre pas la vraie Pâque. Le problème est résolu si l'on répète le mot τύπος. La Pâque que nous célébrons n'est pas la figure, la Pâque figurative des juifs, qui cessait au deuxième mois, mais la Pâque véritable.

2. Dans la prière du sacre (ch. 3) on employait le verbe ἀρχιερατεύω ; ici l'évêque est désigné comme le grand-prêtre.

35. De tempore quo oportet orare

L

Fideles uero mox cum expergefacti fuerint et surrexerint, antequam oper⟨a⟩e suae contingant, orent d(eu)m et sic iam ad opus suum properent. Si qua autem per uerbum caṭecizatio fit, praeponat hoc ut pergat et audiat uerbum d(e)i ad confortationem animae suae. Festinet autem et ad ecclesiam, ubi floret sp(iritu)s.

S(AE)

Fideles autem omnes tempore quo expergefacti sunt, antequam manum mittant ad aliquam rem, orent dominum et hoc modo accedant ad opus suum. Si autem verbum instructionis (κατήχησις) fit, praeponant pergere et audire verbum dei, ut confortent animam (ψυχή) suam. Solliciti sint (σπου-δάζειν) autem ire ad ecclesiam, ubi floret spiritus.

36. Quod oportet percipere ex eucharistia (εὐχαριστία) primum, quotiescumque offertur, antequam aliquid aliud gustetur

L

Omnis autem fidelis festinet, antequam aliquid aliut gustet, eucharistiam percipere. Si enim ex fide percipit, etiamsi mortale quodcumque ⟨d⟩atum illi fuerit, post hoc non potest eum nocere.

Ochrid 86

Πᾶς δὲ πιστὸς πειράσθω πρὸ τοῦ τινος γεύσασθαι, εὐχα-ριστίας μεταλαμβάνειν. Εἰ γὰρ πίστει μεταλάβοι, οὐδ' ἂν θανάσιμόν τις δώῃ αὐτῷ μετὰ τοῦτο οὐ κατισχύσει αὐτοῦ.

35. Du moment où il faut prier [1]

Les fidèles, dès qu'ils seront éveillés et se seront levés, avant de se mettre à leur travail, prieront Dieu, et puis se mettront ainsi à leur travail. S'il y a une instruction de la parole, on donnera la préférence à y aller et à entendre la parole de Dieu pour le réconfort de son âme. On sera empressé (à aller) à l'église, là où fleurit l'Esprit.

36. Qu'il faut recevoir l'eucharistie, quand on fait l'oblation, avant de prendre autre chose [2]

Tout fidèle s'empressera, avant de prendre quelque autre chose, de recevoir l'eucharistie. Si en effet il (la) reçoit avec foi, même si on lui donne quelque poison mortel, alors cela ne pourra rien contre lui.

1. Ce chapitre sera repris au début de 41 avec quelques variantes.
2. Le texte grec de ce passage a été retrouvé dans un florilège par M. l'abbé M. Richard qui a eu l'amabilité de me le communiquer avant de le publier lui-même. Cette prescription suppose évidemment que les fidèles emportaient l'eucharistie chez eux.

L　　　　　　　　　S(AE)

37. Quod oportet custodire diligenter eucharistiam
(εὐχαριστία)

Omnis autem festinet ut non infidelis gustet de eucharistia, aut ne sorix aut animal aliud, aut ne quid cadeat et pereat de eo. Corpus enim est Chr(ist)i edendum credentibus et non contemnendum.

Unusquisque curam habeat diligenter ut nullus infidelis (ἄπιστος) comedat ex eucharistia (εὐχαριστία), aut sorix aut aliud animal, aut ne quid aliud omnino (ὅλως) cadat ex ea et pereat. Corpus (σῶμα) est Christi ex quo credentes (-πιστός) omnes percipiunt et non oportet contemnere (καταφρονεῖν) illud.

38. Quod non oportet aliquid cadere ex calice (ποτήριον)

⟨Calicem⟩ in nomine enim d(e)i benedicens accepisti quasi antitypum sanguinis Chr(ist)i. Quapropter nolite* effundere, ut non sp(iritu)s alienus, uelut te contemnente, illud delingat. Reus eris sanguinis tamquam qui spernit prae [pu]tium quo[d] conparatus est.

Cum enim benedixisti calicem (ποτήριον), in nomine dei accepisti ex eo ut (ὡς) qui est sanguis Christi. Cave ne effundas ex eo, ne spiritus (πνεῦμα) alienus (ἀλλότριος) illum delingat ita ut deus irritetur contra te ut (ὡς) qui contemnis (καταφρονεῖν) et reus (αἴτιος) eris sanguinis Christi, quia sprevisti pretium illud quo comparatus es.

37. Qu'il faut garder avec soin l'eucharistie

Chacun prendra soin qu'un infidèle ne goûte pas de l'eucharistie, ni une souris ni un autre animal, et que rien n'en tombe et ne se perde. C'est le corps du Christ qui doit être mangé par les croyants et ne doit pas être méprisé.

38. Que rien ne doit tomber du calice

En (le) bénissant, tu as reçu le calice au nom de Dieu comme le symbole [1] du sang du Christ. Aussi n'en répands rien, de peur qu'un esprit étranger ne le lèche, comme si tu le méprisais. Tu seras responsable du sang comme celui qui méprise le prix [2] auquel il a été acheté.

---

1. L a *antitypus*, transcription du mot grec déjà employé pour le pain au ch. 21.
2. Il faut évidemment corriger *praeputium* en *praetium*.

S(AE)

39. (De diaconis et presbyteris)

Diaconi autem (δέ) et presbyteri congregentur quotidie
in locum quem episcopus praecipiet eis. Et diaconi quidem (μέν) ne negligant (ἀμελεῖν) congregari in tempore
omni, nisi infirmitas impediat (κωλύειν) eos. Cum congre-
gati sunt omnes, doceant illos qui sunt in ecclesia, et hoc
modo cum oraverint, unusquisque eat ad opera quae com-
petunt ei.

40. De locis sepulturae

Ne gravetur (βαρεῖν) homo ad sepeliendum hominem in
coemeteriis (κοιμητήριον) : res enim est omnis pauperis.
Sed (πλήν) detur merces operarii (ἐργάτης) ei qui effodit et
pretium laterum (κέραμος). Qui sunt in loco illo et qui
curam habent, episcopus nutriat eos ut nemo gravetur
ex eis qui veniunt ad haec loca (τόπος).

39. (Des diacres et des prêtres)

Les diacres et les prêtres se réuniront chaque jour à l'endroit que l'évêque leur aura prescrit. Les diacres ne négligeront pas de se réunir en tout temps [1], à moins que la maladie ne les (en) empêche. Quand tous seront réunis, ils enseigneront ceux qui se trouvent à l'église, et ainsi, après avoir prié, ils se rendront chacun au travail qui lui revient.

40. Des lieux de sépulture

On n'imposera pas une lourde charge pour enterrer dans les cimetières, car c'est la chose de tous les pauvres. Cependant on paiera le salaire de l'ouvrier à celui qui a fait la fosse, et le prix des briques. Quant à ceux qui se trouvent en cet endroit et en ont le soin, l'évêque les nourrira au moyen de ce qui est donné à l'Église [2], afin que ceux qui viennent en ces lieux n'aient pas une lourde charge.

---

1. La leçon *tempore omni* est ici suspecte. Il est probable qu'on désignait une heure précise. La même expression est employée en 41, à propos des pains de proposition alors que le contexte demande évidemment que l'on comprenne avec AE : à la troisième heure. En est-il de même ici ?

2. Les mots « au moyen de ce qui est donné à l'Église », omis par S, sont attestés par AE et confirmés par T.

41. De tempore quo oportet orare

S(AE)

Fidelis autem omnis et (mulier) fidelis (πιστή), cum surrexerint mane e somno, priusquam tangant quodcumque
opus, lavent manus suas et orent deum, et hoc modo
accedent ad opus suum. Si autem instructio (κατήχησις)
fit et verbum dei fit, eligat unusquisque ut pergat ad locum illum, dum aestimat in corde suo quod deus est
quem audit in eo qui instruit (κατηχεῖσθαι).

Qui enim orat in ecclesia poterit praeterire (παρελθεῖν)
malitiam (κακία) diei. Qui timet putet magnum malum
esse si non vadit ad locum ubi instructio (κατήχησις) fit,
praesertim (μάλιστα) autem si potest legere vel si doctor
venit. Nemo ex vobis tardus sit in ecclesia, locus ubi doce-
tur. Tunc (τότε) dabitur oi qui loquitur ut dicat ea quae
utilia sunt unicuique, et audies quae non cogitas, et pro-
ficies (ὠφελεῖν) in iis quae spiritus sanctus dabit tibi per
eum qui instruit (κατηχεῖσθαι). Hoc modo fides (πίστις) tua
firmabitur super ea quae audieris. Dicetur autem tibi
etiam in illo loco quae oportet ut facias in domo tua.
Propterea unusquisque sollicitus sit (σπουδάζειν) ire ad
ecclesiam, locum ubi spiritus sanctus floret. Si dies est
in qua non est instructio (κατήχησις), cum unusquisque
in domo sua erit, accipiat librum sanctum et legat in
eo sufficienter quod videtur (δοκεῖν) ei ferre utilitatem.

41. Du moment où il faut prier [1]

Tous les fidèles, hommes et femmes, quand ils se lèvent le matin de leur sommeil, avant d'entreprendre quelque travail, se laveront les mains et prieront Dieu, et ainsi ils se mettront à leur travail. S'il y a quelque instruction de la parole[2], chacun préférera y aller, estimant en lui-même que c'est Dieu qu'il entend en celui qui instruit.

Car celui qui prie à l'église pourra éviter la malice du jour. Celui qui est pieux [3] pensera que c'est un grand mal de ne pas aller là où se donne l'instruction, surtout s'il sait lire ou si le docteur vient [4]. Personne parmi vous ne sera en retard à l'église, lieu où on enseigne (la doctrine). Alors il sera donné à celui qui parle de dire ce qui est utile à chacun, et tu entendras des choses que tu ne connaissais pas, et tu profiteras de ce que l'Esprit-Saint te donnera par celui qui fait l'instruction. De cette manière ta foi s'affermira sur ce que tu auras entendu. On te dira aussi là-bas ce qu'il te faut faire chez toi. Aussi chacun s'empressera d'aller à l'église, lieu où l'Esprit fleurit. Si c'est un jour où il n'y a pas d'instruction, quand chacun est chez soi, il prendra un livre saint [5] et il y fera une lecture suffisante qui lui paraîtra profitable.

---

1. Pour le début de ce chapitre, voir le doublet en 35.
2. La rédaction maladroite de S est ici corrigée d'après CA.
3. Le verbe employé par S (timel) traduit aussi dans le Nouveau Testament copte la notion de piété, cf. *Hébr.* 5, 7 ; 11, 2 ; 12, 28.
4. Toute la fin de cette phrase est assez obscure. La dernière partie, à propos du docteur, est omise par AE. On comprendrait mieux s'il y avait une négation : « Surtout s'il ne sait pas lire ».
5. On ne peut traduire « le livre saint », le copte ayant l'article indéfini, ce qui suppose l'absence d'article dans le modèle grec.

S(AE)

Et si quidem es in domo tua, ora tempore horae tertiae
et benedic deum. Si quidem es in alio loco in hoc mo-
mento temporis (καιρός), ora in corde tuo deum. In hac
enim hora visus est Christus cum fixus est in ligno.
Propterea etiam in veteri (παλαιά), lex (νόμος) praecepit
ut offerretur panis propositionis (πρόθεσις) in omni tempore, ut typus (τύπος) corporis (σῶμα) et sanguinis Christi ;
et immolatio agni irrationalis (ἄλογος) est typus (τύπος)
agni perfecti (τέλειος). Pastor enim est Christus, est etiam
panis qui descendit de caelo.

Ora etiam similiter (ὁμοίως) tempore horae sextae. Cum
enim affixus est Christus in ligno crucis (σταυρός), dies ille
divisus est et factae sunt tenebrae magnae. Itaque (ὥστε)
orent in illa hora oratione potenti, imitantes vocem
eius qui orabat et creationem (κτίσις) omnem fecit tene-
bras pro incredulis Iudaeis.

Faciant autem etiam magnam precem et magnam benedictionem tempore horae nonae ut scias modum quo
anima (ψυχή) iustorum (δίκαιος) benedicit

L	S(AE)
d(eu)m qui non mentitur, qui memur* fuit sanctorum suorum	dominum deum veritatis, qui memor fuit sanctorum

Si tu es chez toi, prie à la troisième heure et loue Dieu.
Si tu es ailleurs en ce moment, prie Dieu dans ton cœur[1].
Car à cette heure on a vu le Christ attaché au bois. C'est
pourquoi aussi dans l'Ancien (Testament), la Loi a prescrit
qu'on offre le pain de proposition à la troisième heure[2],
comme symbole du corps et du sang du Christ ; et l'immo-
lation de l'agneau sans raison est le symbole de l'Agneau
parfait. Car le Christ est le pasteur, il est aussi le pain
qui est descendu du ciel.

Prie également à la sixième heure. Car quand le Christ
fut attaché au bois de la croix, ce jour fut interrompu
et il se fit une grande obscurité. Aussi on fera à cette
heure une prière puissante, en imitant la voix de celui qui
priait et qui obscurcit toute la création pour les Juifs
incrédules.

On fera aussi une grande prière et une grande louange
à la neuvième heure pour imiter[3] la manière dont l'âme
des justes loue Dieu qui ne ment pas, qui s'est souvenu
de ses saints

---

1. L'expression semble bien indiquer que, dans les autres cas, il s'agit
d'une prière vocale.
2. L'expression de S (*in omni tempore*) est certainement fautive et doit
être corrigée d'après AE.
3. La leçon de S (*ut scias modum*) est due à une confusion graphique en
copte. Il faut corriger d'après T (*ad imitationem*). On fait allusion ici à un
apocryphe cité notamment par saint Irénée, *Adv. haer.* IV, 22, *P G* 7, 1046.
Il s'agit des âmes des justes qui attendent la venue du Christ aux enfers.

L

et emisit uerbum suum inluminantem eos. Illa ergo hora in latere Chr(is-tu)s punctus aquam et sanguem effudit et reliquum temporis diei inluminans ad uesperam deduxit. Unde incipiens dormire pri(n)cipium alterius diei faciens imaginem resurrectionis conpleuit.

Ora etiam antequam corpus cubile* requiescat. Circa mediam uero noctem exurgens laua manus aqua et ora. Si autem et coniunx tua praesens est, utrique simul orate ; sin uero necdum est fidelis, in alio cubiculo secedèns ora et iterum ad cubilem tuum reuertere. Noli autem piger esse ad orandu(m). Qui in nuptias ligatus est non est inquinatus.

S(AE)

et misit filium suum, hoc est verbum (λόγος) suum qui illuminet eos. In illa enim hora cum Christus punctus est in latere lancea (λόγχη) exivit sanguis et aqua, et postea fecit lucem super reliquum diei usque ad vesperam. Propterea tu quoque cum vadis ad dormiendum incipis (ἄρχεσθαι) diem alterum et facis typum (τύπος) resurrectionis (ἀνάστασις).

Ora etiam antequam requiescas (ἀναπαύειν) in lecto cubiculi tui. Cum surgis media nocte a lecto tuo, lavare et ora. Lavaberis autem aqua pura. Si autem est tibi mulier ibi, orate simul. Si autem nondum est fidelis (πιστή), recede (ἀναχωρεῖν) in locum et orabis solus, et reverteris ad locum tuum. Tu autem qui ligatus es in matrimonio (γάμος) ne haesites orare, quia non estis inquinati.

et envoya son Verbe pour les éclairer. A cette heure
donc, le Christ percé au côté répandit de l'eau et du sang [1],
et éclairant le reste du jour le mena jusqu'au soir. C'est
pourquoi, quand il commença à s'endormir, en faisant
commencer le jour suivant, il donna une image de la
résurrection.

Prie aussi avant que ton corps se repose au lit. Mais vers
minuit, lève-toi, lave-toi les mains et prie. Si ta femme est
présente, priez tous les deux ensemble ; mais si elle n'est
pas encore fidèle, retire-toi dans une autre chambre, prie,
et reviens à ton lit. N'hésite pas [2] à prier : celui qui est
dans les liens du mariage n'est pas impur.

---

1. L'ordre eau-sang, gardé par L seul, est attesté par les manuscrits grecs
des évangiles qui ont interpolé cet épisode en *Matth.* 27, 49. C'est au même
moment que la *Tradition* place la transfixion, avant la mort de Jésus. Les
autres témoins ont corrigé d'après le texte commun, cf. *Jn* 19, 34.

2. L'expression *piger esse* répond probablement, d'après le copte, au grec
ὀχνέω, hésiter.

L

Qui enim loti sunt non habent necessitatem lauandi iterum quia mundi sunt. Per consignationem cum udo flatu et per manum sp(iritu)m* amplectens, corpus tuu(m) usque ad pedes sanctificatum est. Donum enim sp(iritu)s et infusio lauacri, sicuti ex fonte corde credente cum offertur, sanctificat eum qui credidit. Hac igitur hora necessarium est orare.

Nam et hi qui tradiderunt nobis seniores ita nos docuerunt quia hac ⟨h⟩ora omnis creatura quiescit ad momentum quoddam, ut laudent dom(inum), stellas et arbusta et aquas stare in ictu, et omne agmen angelorum ministrat* ei in hac ⟨h⟩ora una cum iustorum animabus laudare d(eu)m. Quapropter debent hii qui credunt festinare hac ⟨h⟩ora orare.

S(AE)

Qui enim loti sunt non habent necessitatem (χρεία) lavandi iterum quia sunt mundi et puri (χαθαρός). Cum insufflas in manum tuam et signaris (σφραγίζειν) cum sputo ex ore tuo, purus es totus usque ad pedes. Donum (δῶρον) enim est hoc spiritus sancti et guttae sunt aquae baptismatis quae exeunt ex fonte (πηγή), hoc est, corde fideli, quae purificant eos qui credunt. Necessarium (ἀναγκαῖον) autem est etiam orare in hac hora.

Etenim ipsi seniores (πρεσβύτερος) tradiderunt nobis etiam hanc rem et docuerunt nos hoc modo quia in hoc tempore creatura omnis quiescit ad laudem dei ; stellae et arbusta et aquae sunt quasi stantes et omne agmen (στρατία) angelorum (ἄγγελος) ministrat (λειτουργεῖν) ei cum animabus (ψυχή) iustorum (δίχαιος) et laudat (ὑμνεῖν) deum omnipotentem (παντοχράτωρ) in hoc tempore. Propterea oportet eos qui credunt (πιστεύειν) orare in hac hora.

Car ceux qui se sont baignés n'ont pas besoin de se laver de nouveau, parce qu'ils sont purs (cf. *Jn* 13, 10). Quand tu te signes avec ton souffle humide en prenant avec la main ta salive [1], ton corps est sanctifié [2] jusqu'aux pieds. Car le don de l'Esprit et l'eau du bain (baptismal), quand on les offre (jaillissant) d'un cœur croyant comme d'une source, sanctifient celui qui a la foi. Il faut donc prier à cette heure.

Car les anciens qui nous ont rapporté la tradition nous ont enseigné ainsi qu'à cette heure toute la création se repose un moment pour louer le Seigneur : les astres, les arbres, les eaux s'arrêtent un instant et toute l'armée des anges qui [3] le sert, loue Dieu à cette heure avec les âmes des justes. C'est pourquoi ceux qui croient doivent s'empresser de prier à cette heure.

1. L'abréviation *spm* de L devrait se lire normalement *spiritum*, mais c'est une erreur de lecture d'un copiste. Il faut corriger en *sputum*.

2. La différence entre L (*sanctificatum*) et S (*purus*) provient du fait que le même mot copte signifie saint et pur.

3. Le texte de L (*ministrat*) doit être corrigé soit en *ministrans*, soit en *quod ministrat*.

L

Testimonium etiam habens huic rei d(omi)n(u)s ita ait : Ecce clamor factus est circa mediam noctem dicentium : Ecce sponsus uenit, surgite ad occursum eius. Et infert dicens : Propterea uigilate; nescitis enim qua hora uenit.

Et circa galli cantum exurgens, similiter. Illa enim hora gallo cantante fili Istrahel Chr(istu)m negauerunt, quem nos per fidem cognouimus, sub spe luminis aeterni in resurrectione mortuorum, spectantes diem in ha⟨n⟩c.

Itaque, omnes fideles, agentes et memoriam eorum facientes et inuicem docentes et catecuminos prouocantes, neq(ue) temptari neq(ue) perire poteritis, cum semper Chr(istu)m in memoriam habetis.

S(AE)

Dominus autem etiam dixit hoc modo testificans hoc dicens : Media nocte ecce clamor factus est : ecce sponsus venit, exite obviam ei. Et addit verbum etiam dicens : Propterea vigilate, quia nescitis diem neque horam qua filius hominis venit.

Similiter (ὁμοίως), quando surgis tempore quo gallus (ἀλέκτωρ) cantat, ora ; quia filii Israel negaverunt (ἀρνεῖσθαι) Christum hora illa, quem nos cognovimus credentes (πιστεύειν) in eum per fidem (πίστις) respicientes in spe (ἐλπίς) in diem luminis aeterni quod illuminabit nos in aeternum in resurrectione (ἀνάστασις) mortuorum.

Haec autem, vos omnes fideles, si perficitis et facitis eorum memoriam, docentes invicem et instruentes catechumenos ut faciant, nihil tentabit (πειράζειν) vos neque cadetis umquam, cum facitis memoriam Christi in omni tempore.

Rendant aussi témoignage de ceci le Seigneur dit :
Voici qu'un cri s'est fait (entendre) au milieu de la nuit ;
on disait : Voici l'époux qui vient, levez-vous (pour aller)
à sa rencontre (cf. *Matth.* 25, 6). Et il continue en disant :
C'est pourquoi, veillez, car vous ne savez pas à quelle
heure il vient (cf. *Matth.* 25, 13).

Et au chant du coq, te levant, (prie) de même. Car
à cette heure, au chant du coq, les fils [1] d'Israël ont renié
le Christ, que nous, nous connaissons par la foi, dans
l'espérance de la lumière éternelle à la résurrection des
morts, les yeux tournés vers ce jour.

Ainsi donc, (vous) tous les fidèles, faisant cela et en
gardant le souvenir, vous instruisant mutuellement,
donnant l'exemple aux catéchumènes, vous ne pourrez
ni être tentés ni vous perdre, alors que vous vous souvenez
toujours du Christ.

---

1. D'après L on pourrait traduire « des fils d'Israël » ; mais S a l'article
défini qui répond à l'article grec.

42. (De signo crucis)

L¹

Semper tempta modeste consignare tibi frontem. Hoc enim signum pas-·sionis aduersum diabolum ostenditur, si ex ⟨f⟩ide faciat· quis, ut non hominibus placens, ⟨s⟩ed per scientiam sicut loricam offerens ; siquidem aduersarius uidens uirtutem sp(iritu)s ex corde

L²

Semper autem imitare cum honestate consignare tibi frontem. Hoc enim signum passionis aduersum diabolum manifestum et conprobatum est, si ex fide itaq(ue) facis, non ut hominibus appareas, sed per scientiam tamquam scutum offerens ; nam aduersarius, cum uidit uirtutem quae ex corde est,

S(AE) : Fac autem tentamen (πεῖρα) in omni tempore consignare (σφραγίζειν) frontem tuam in timore. Hoc enim signum est quod cognoscitur et manifestum est, per quod diabolus (διάβολος) perit si facis illud in fide (πίστις), dum ostendis te non coram hominibus tantum, sed in scientia (ἐπιστήμη) confidens in illud sicut in scutum (θύρεον). Quoniam (ἐπειδή) adversarius (ἀντικείμενος) diabolus (διάβολος) videt (θεωρεῖν) virtutem cordis tantum

42. (Du signe de la croix) [1]

Si tu es tenté [2], signe-toi le front avec piété ; car c'est là le signe de la Passion, connu et éprouvé contre le diable, pourvu que tu le fasses avec foi, non pour être vu des hommes, mais en le présentant avec habileté comme un bouclier. Car l'Adversaire, quand il voit la force qui vient du cœur,

1. Le texte de cette section est donné deux fois dans L. Ce ne sont pas deux versions indépendantes. L¹ est une recension maladroite de L².

2. L'archétype avait ici une faute qui explique la confusion du texte : ἀεί au lieu de εἰ. Cette erreur a amené d'autres manipulations du texte. Voir l'article cité à la note suivante.

L¹

in similitudine lauacri in manifestum deformatam tremens effugatur, te non illum cedente sed inspirante. Hoc ipsut erat, de quo[d] in typo Moyses in oue, quae per pascha immolabatur, sanguem asparsit in limine et duos postes unguens significat eam, quae nunc in nobis est, fide(m) in perfecta oue. Frontem et oculos per manum consignantes declinemus ab eo qui exterminare temptat.

L²

ut homo ⟨...⟩ similitudinem uerbi in manifesto deformatam ostendat, infugiatur [non sputante sed flante] sp(irit)u i(n) te. Quod deformans Moyses in ouem paschae, quae occidebatur, sanguem asparsit in limine et postes uncxit, designabat ea⟨m⟩, q(u⟨a⟩e) nunc in nobis est fides, quae in perfecta oue est. Frontem uero et oculos per manu(m) consignantes declinemus eum qui exterminare temptat.

S(AE) : et cum videt hominem interiorem qui est rationalis (λογικός) qui signat (σφραγίζειν) interius et exterius signo (σφραγίς) verbi (λόγος) dei, fugit statim dum expellitur per spiritum sanctum qui est in homine qui facit ei locum in se. Hoc est etiam quod Moyses propheta (προφήτης) docuit prius per pascha et ovem quae immolata est, et praecepit ut poneretur sanguis in limine et in duobus postibus, indicans nobis fidem, quae in nobis nunc est, quae data est nobis per ovem perfectam (τέλειος). Hac si signamus (σφραγίζειν) frontem per manum, declinabimus eum qui vult occidere nos.

lorsque l'homme intérieur [1], c'est-à-dire celui qui est animé par le Verbe, montre, formée à l'extérieur, l'image intérieure du Verbe, il est mis en fuite par l'Esprit (qui est) en toi. C'est pour symboliser cela, par l'agneau pascal qui était immolé, que Moïse aspergea le seuil de sang et enduisit les montants des portes. Il désignait (ainsi) la foi, qui est maintenant en nous, dans l'Agneau parfait. En nous signant le front et les yeux avec la main, écartons celui qui tente de nous exterminer.

1. Il y a ici une omission de L qui peut être comblée par SAE. Quant à *non sputante*, c'est une glose qui a été introduite pour corriger la faute d'un copiste qui avait écrit *sputante* au lieu de *spiritu in te* (*spu in te*) ; cf. B. BOTTE, « Un passage difficile de la Tradition apostolique sur le signe de croix », dans *Rech. théol. anc. médiév.* 27 (1960), p. 5-19.

43. (Conclusio)

L¹

Haec itaque cum gratia et fide recta gloriosae cum audiantur, aedificationem praestant ecclesiae et uitam aeternam credentibus. Quae custodiri moneo ab eis qui bene sapiunt. Uniuersis enim audientibus apos⟨tolicam traditionem⟩...

L²

Haec itaq(ue) si cum gratia et fide recta accipiuntur, praesta⟨n⟩t aedificationem in ecclesia et uitam aeternam credentibus. Custodiri haec consilium do ab omnibus bene sapientibus. Uniuersis enim audientibus apostolicam tra⟨ditionem⟩...

S(AE) : Haec autem si accipitis in gratiarum actione et fide recta, aedificabunt vos et donabunt (χαρίζεσθαι) vobis vitam aeternam. Haec consilium damus (συμβουλεύειν) vobis custodire, quibus est cor. Si omnes enim sequuntur traditiones (παράδοσις) apostolorum (ἀπόστολος) quas audierunt et servant eas, nullus haereticorum poterit seducere (πλανᾶν) vos neque ullus hominum omnino. Hoc modo enim creverunt (αὐξάνειν) haereses (αἵρεσις) multae, quia praesidentes (προϊστάναι) noluerunt discere sententiam (προαίρεσις) apostolorum (ἀπόστολος), sed secundum libidinem (ἡδονή) suam fecerunt quae voluerunt, non quae decent (πρέπειν). Si praeterivimus aliquam rem, dilecti nobis, haec revelabit deus eis qui digni sunt, cum dirigit (κυβερνᾶν) ecclesiam quae digna est applicare ad portum (λιμήν) quietis.

43. (Conclusion)

Si donc on reçoit ces choses avec reconnaissance et avec une foi droite, elles procurent l'édification à l'Église et la vie éternelle aux croyants. Je donne le conseil que ceci soit gardé par tous ceux qui sont prudents. Car si tous ceux qui écoutent la tradition apostolique

la suivent et la gardent, aucun hérétique ne pourra vous induire en erreur ni aucun homme absolument. C'est de cette manière, en effet, que les nombreuses hérésies ont grandi, parce que les chefs n'ont pas voulu s'instruire de l'avis des apôtres, mais ont fait ce qu'ils voulaient selon leur plaisir, et non ce qui convient. Si nous avons omis quelque chose, bien-aimés, Dieu le révélera à ceux qui (en) sont dignes, car il gouverne l'Église pour qu'elle aborde[1] au port tranquille.

---

1. La leçon de S (*quae digna est*) est une contamination avec ce qui précède, de même que A (*ei qui dignus est*). Il faut supprimer ces mots avec E.

INDEX ANALYTIQUE

INDEX DES CITATIONS
ET ALLUSIONS BIBLIQUES

TABLE DES MATIÈRES

SOURCES CHRÉTIENNES

(1-313)

Également aux Éditions du Cerf

LES ŒUVRES DE PHILON D'ALEXANDRIE

publiées sous la direction de

R. ARNALDEZ, C. MONDÉSERT, J. POUILLOUX.

Texte grec et traduction française.

Achevé d'imprimer en mars 2007
sur les presses numériques de l'Imprimerie Maury S.A.S.
Z.I. des Ondes – 12100 Millau
Dépôt légal : septembre 1984
N° d'impression : C07/40702 A